Martin Doehlemann · Junge Schriftsteller:
Wegbereiter einer antiautoritären Gesellschaft?

Veröffentlichung der Hochschule
für Wirtschaft und Politik, Hamburg

Titelaufnahme:

Martin Doehlemann:

Junge Schriftsteller:

Wegbereiter einer antiautoritären Gesellschaft?

Herausgeber: Helmut Bilstein. Analysen, Band 6.

Veröffentlichung der Hochschule für Wirtschaft und Politik, Hamburg
Leske Verlag, Opladen 1970, 97 S.

Martin Doehlemann

Junge Schriftsteller:
Wegbereiter
einer antiautoritären
Gesellschaft?

Herausgegeben von Helmut Bilstein

Leske Verlag Opladen 1970

Verlags- und Bestellnummer 15006
© 1970 by Leske Verlag, Opladen
Gesamtherstellung Dr. Friedrich Middelhauve GmbH, Opladen
Umschlagentwurf Hanswerner Klein BDG · ICTA, Opladen
Printed in Germany

Inhalt

Vorwort des Herausgebers

Schriftsteller, insbesondere die politisch engagierten, gelten vielen im Lande als „verantwortungslose Intellektuelle", „Nestbeschmutzer". Wer sind sie, denen so vorurteilsbeladene Antipathien entgegenschlagen? Hat ihr gelegentliches Stellungnehmen, hat ihr schriftstellerisches Eintreten für Reform oder Revolutionierung unserer Gesellschaft seinen Ursprung in der besonderen sozialen Situation des Schriftstellers? Die vorliegende empirische Untersuchung liefert hierzu im ersten Teil neue Daten: über die soziale Herkunft, die Schul- und Ausbildung, die Einkommens- und Lebensverhältnisse.

Daß die Diskussion über den Zustand der Gesellschaft und die Richtungsbestimmung der Politik nicht mehr nur auf die Hochschulen beschränkt ist, sondern auch andere Bereiche erfassen konnte, ist mit das Verdienst der jungen Schriftsteller. Sie haben vernehmlich „Partei" ergriffen, einige z. B. in Wählerinitiativen, andere für die außerparlamentarische Opposition. In ihrer literarischen Produktion, in politisch-publizistischen Arbeiten oder zuweilen auch in direkt-politischer Aktion trugen sie dazu bei, Tatsachen, Meinungen und Aktionsmuster aus den engen Seminarzirkeln in die Gesellschaft hinein zu verlängern. War es Zufall, der sie dazu brachte? Steckt hinter dem Politisieren ein entwickeltes und hinreichend begründetes Bewußtsein bzw. Wissen? Wie ist es gegebenenfalls akzentuiert? Auch auf diese Fragestellungen gibt die Studie erklärende und differenzierende Antworten.

Mißstände und Fehlentwicklungen der gesellschaftlich-staatlichen Wirklichkeit machten in den ersten zwanzig Jahren der BRD Kritik und Zusammenfinden in solidarischen Gruppierungen relativ einfach. Mit dem Regierungswechsel im Herbst 1969 aber haben die bis dahin geltenden Verständigungschiffren − z. B. „Bonn", „Machtkartell", „CDU-Staat" − doch einiges von ihrer vereinfachenden und deshalb um so wirksameren Funktion verloren. Diese Perspektive ergibt sich für den gesamten oppositionellen Bereich; für die Literaten aber zeichnet sich dabei ein spezifischer Aspekt ab: Werden sie, unter der Voraussetzung, daß nunmehr eher eine von überkommenen Traditionalismen und den wirtschaftlich Mächtigen sich befreiende Politik gemacht wird, den literarischen Rückzug, die künstlerische Introversion antreten, oder werden sie sich gar zur „konstruktiven Mitarbeit" entscheiden? Horst Krüger, selbst

politisch engagiert, zeichnete kurz nach der Regierungserklärung
W. Brandts diese beiden Wege sehr zu Recht als miserable Alternativen.
Daß beide mit großer Wahrscheinlichkeit von den meisten nicht begangen
werden, dafür bürgt das Erfahrungsmaterial dieser Untersuchung. Man
wird sich vielmehr nach wie vor in kritischer Distanz sehen, wobei —
vorausgesetzt unsere Gesellschaft erlebt tatsächlich die angekündigte neue
Politik — das pragmatisch-reformerische Potential eher zum Zuge kommt
als das utopisch-revolutionäre.

Zu den „inneren Reformen" sollte auch eine neue Wertsetzung und
Normierung des Denkens und Verhaltens in der Gesellschaft gegenüber
kritischen Minderheiten gehören. Denn zweifellos haben z. B. frühere
Kanzlerpolemiken à la Pinscher (L. Erhard) einiges zur allgemein üblichen Denkverzerrung beigetragen. Mit dem von der Politik her ver-
suchten Abbau von tradierten Vorurteilen und Denkklischées wäre
zugleich der Anstoß gegeben, die eingefahrene Schriftsteller„rolle", d. h.
die von weiten Teilen der Umwelt isolierte Position als Randseiter, neu
zu definieren. Eine gesellschaftliche Integration des Schriftstellers, dessen
unruhestiftende Funktion legitimiert ist, fordert allerdings ein Bewußtsein, das nicht das Bestehende als das Selbstverständliche betrachtet,
sondern das den sozialen Konflikt, den Wandel, den Zweifel für normal
und wertvoll hält.

Die im soziologischen Institut der Universität München angefertigte
Studie wurde unter Beratung u. a. des Ordinarius für Soziologie an der
Hamburger Hochschule für Wirtschaft und Politik, Friedhelm Neidhardt,
für die ANALYSEN-Ausgabe überarbeitet und erweitert.

Hamburg im April 1970

Helmut Bilstein

A. Analyse

I. Einführung: Die unbequemen Schriftsteller

1. Der Ausgangspunkt

Statt Gedichte zu machen, sympathisieren sie offen mit aufsässigen Studenten, statt still auf die Eingebung zu warten, verbreiten sie ihre völlig unrealistischen Vorstellungen von Politik und Gesellschaft, statt sich Verdienste um die deutsche Kultur zu erwerben, gefallen sie sich als ewige *Neinsager* und *Querulanten,* die heutigen Dichter: Mit einer Mischung aus Geringschätzung und Gereiztheit reagieren viele Bürger in der Bundesrepublik auf die Versuche der Schriftsteller, zu politischen und gesellschaftlichen Fragen Stellung zu nehmen, und zwar nicht nur zwischen Buchdeckeln; eine Stellungnahme, um die diese Bürger offensichtlich nicht gebeten haben, die sie lieber dem Politiker, dem „Fachmann" vorbehalten wissen möchten.

Diese Schriftsteller reden über alles. Sie erhalten Zugang zu den Massenmedien, wo sie als „die Intellektuellen" ihre meist abfälligen Meinungen über Gesellschaft, Staat und Kultur vortragen dürfen. Aber man soll sie nicht ernst nehmen, heißt es: Sie hätten von der „Realität", nämlich der Berufswelt, der Notwendigkeit zur Einordnung oder den Schwierigkeiten politischer Entscheidung keine Ahnung, sie mißbrauchten ihre Freiheit in Wort und Schrift zur Verletzung des guten Geschmacks und zur Destruktion selbstverständlicher sinngebender Werte, ohne andere an ihre Stelle zu setzen.

Es wäre ungerechtfertigt, diese Ansichten als Ergebnis kleinbürgerlicher Denkbequemlichkeit oder einer von den Herrschenden manipulierten Denkverzerrung abzutun und ungeprüft zurückzuweisen. Es lohnt sich durchaus, diese Vorwürfe, die in ähnlicher Form auch den unruhigen Studenten gemacht werden, näher zu betrachten. Dabei lassen sich drei Fragestellungen ausmachen:

— Die Frage nach dem *sozialen Standort* des Schriftstellers („sie stehen außerhalb, ordnen sich nicht ein").
— Die Frage nach dem *sozialen* und *politischen Wissen* der Schriftsteller („sie haben keine Ahnung von der Wirklichkeit, sind Analphabeten der Realität").
— Die Frage nach ihrer *Einstellung* gegenüber den sozialen und politischen Verhältnissen („sie kritisieren, sie lehnen die Werte und Ordnung der Gesellschaft ab").

Die Frage, ob und welchen Einfluß die Schriftsteller mit ihren Büchern, Aufsätzen und Vorträgen auf die Gesellschaftsmitglieder (auf welche?) ausüben, läßt sich im Rahmen dieser Studie nicht beantworten; dagegen kann aufgezeigt werden, was sie selbst über ihre Einflußmöglichkeiten denken.

In den oben gebrachten Vorwürfen des bundesdeutschen Volksmundes gegen die Schriftsteller (und Studenten) steckt ein Gedankengang, der dem Soziologen nicht fremd ist: Die Ahnungslosigkeit der Schriftsteller und ihre negative Einstellung zur Gesellschaft werden, mehr oder weniger deutlich, mit ihrem prekären Standort innerhalb dieser Gesellschaft erklärt, mit ihrer *Standortlosigkeit*. Diese Annahme kann ungeprüft nicht übernommen, aber auch nicht verworfen werden, wobei der Soziologe gegenüber der Behauptung einer *einseitigen* Beziehung zwischen gesellschaftlicher Situation und Kenntnissen bzw. Haltungen sehr vorsichtig sein wird.

Ein Satz wie: „Der Standort im sozialen System prägt die Vorstellungen vom System" gehört zum empirisch gesicherten Wissen der Soziologie[1]. So haben sich z. B. die verschiedenen Vorstellungen von der sozialen Schichtung als von der eigenen Schichtzugehörigkeit des Betrachters abhängig erwiesen: Der eigene Statusbereich und die umliegenden Zonen sind für den Betrachter ziemlich genau differenziert, die entfernteren Gruppierungen verschwimmen zu undeutlichen, in sich kaum abgestuften oder umgrenzten Zonen. Viele weitere Beispiele ließen sich anführen, solche „Gesetzmäßigkeiten der sozialen Optik"[2] zu belegen. Gleichzeitig wurde auch eine Verbindung zwischen dem sozialen Standort und der Einstellung gegenüber den sozialen Verhältnissen festgestellt. Die *oberen Schichten* neigen z. B. zu einer *konservativeren Haltung* gegenüber den gesellschaftlichen Zuständen, sie sind auf eine Erhaltung der bestehenden Ordnung bedacht, während die *unteren Schichten* eher eine „*progressivere*" Einstellung haben, die sich in Ressentiments gegen „die da oben" und evtl. dem Wunsch nach sozialer Veränderung niederschlägt, wenn nicht Resignation und Fatalismus die Oberhand gewinnen[3].

Eine bestimmte soziale Position vermittelt bestimmte soziale Erfahrungen, eine Perspektive, die in den gesamtgesellschaftlichen Bereich hinein verlängert wird. Der Positionsinhaber erlebt gewisse soziale Vergünstigungen (z. B. materieller Art oder etwa hohes Prestige) oder Frustrationen (etwa das Gefühl der starken eigenen Einschränkung durch die Privilegien anderer), die eine positive oder negative Einstellung gegenüber den bestehenden gesellschaftlichen Verhältnissen ausbilden können.

Wie steht es nun mit den jungen Schriftstellern? Wo innerhalb oder außerhalb der Gesellschaft befinden sie sich und welchen Einfluß hat ihr sozialer Zustand auf ihre Betrachtungsweise und ihre Einstellung zur heutigen westdeutschen Gesellschaft?

[1] *K. M. Bolte:* Sozialer Aufstieg und Abstieg, Stuttgart 1959, S. 40 ff.

[2] *H. J. Daheim:* Die Vorstellungen vom Mittelstand, in: Kölner Zeitschrift für Soziologie und Sozialpsychologie, Bd. 12/1960, S. 267 u. 269, Anm. 5.

[3] *K. M. Bolte, D. Kappe, F. Neidhardt:* Soziale Schichtung, Opladen 1966, S. 92 u. 104 f.

2. Gesellschaftsbild und Ideologie

Die positionseigene Erfahrung, zu der noch unzählige „Erfahrungen zweiter Hand", vermittelt etwa über die Massenmedien, hinzukommen, bildet die Grundlage gesellschaftlicher Vorstellungsmodelle, der *Gesellschaftsbilder*. Diese umgreifen die sozialen Gegebenheiten in ihrer Gesamtheit und bringen sie in eine bestimmte Ordnung. Jeder soziale Tatbestand erhält einen bestimmten Stellenwert; die komplizierten gesellschaftlichen Zusammenhänge erscheinen *subjektiv* halbwegs durchsichtig. Das geht in keinem Fall ohne Vereinfachungen und damit ohne Verzerrungen ab.

Hier läßt sich auch eine Haltung beobachten, die angesichts der Kompliziertheit der sozialen Zusammenhänge auf die Einordnung und Erklärung subjektiv fernliegender sozialer Phänomene verzichtet. Der überforderte Betrachter schaltet ab, läßt Leerräume stehen oder überläßt das Durchschauen von Zusammenhängen den zuständigen Instanzen oder Fachleuten, „die es wissen müssen". Hier kann es sich aber immer nur um Teilverzichte handeln, da das vollständige Fehlen eines Gesellschaftsbildes die Fähigkeit überhaupt zu zwischenmenschlichem Handeln beeinträchtigte. Ein Merkmal dieser mehr oder weniger vollständigen „sozialen Bildwelt" scheint ihre relative Starrheit zu sein, die Trägheit, mit der sie auf soziale Veränderungen reagiert[4].

Im Zusammenhang mit der Frage nach den Gesellschaftsbildern taucht immer wieder der Begriff der *Ideologie* auf. Je unzureichender er definiert ist, desto leichtfertiger läßt sich offensichtlich mit ihm operieren. Kaum ein anderer Begriff genießt in der einschlägigen Literatur solche Beliebtheit und entbehrt gleichzeitig in solchem Maße der genauen Bestimmung. Trotzdem ist er nicht entbehrlich.

Habermas u. a. gehen in ihrer Untersuchung „Student und Politik"[5] von den großen politischen Ideologien des 19. Jahrhunderts aus und messen an ihnen, d. h. am *normativen* Anspruch dieser Ideologien, die erfragten Gesellschaftsbilder heutiger Studenten. Gesellschaftsbilder, die nicht mehr normativ zur politisch-sozialen Willensbildung beitragen wollen wie etwa das Bild der „nivellierten Mittelstandsgesellschaft" oder das „realistische Bewußtsein", sind für die Frankfurter Soziologen „im strengen Sinn" keine Gesellschaftsbilder mehr, sie können nicht als ein fester Bezugsrahmen für politisches Wollen in wechselnden Situationen fungieren. Hier sind Gesellschaftsbild und Ideologie gleichgesetzt; in dem so verstandenen Gesellschaftsbild vereinigen sich zwei Dinge, die wir im folgenden *auseinanderhalten* wollen: nämlich das (irrige oder richtige) *soziale Wissen* und das ideologische Moment, die *Wertung*. Dabei orientieren wir uns an der u. a. von *Geiger* oder *Albert* herausgearbeiteten Unterscheidung zwischen einer ideologischen und einer theoretischen

---

[4] H. Popitz u. a.: Das Gesellschaftsbild des Arbeiters, Tübingen 1957, S. 3.
[5] J. Habermas u. a.: Student und Politik, Neuwied und Berlin 1961.

Aussage: Ideologische Aussagen sind pseudoobjektiv, krypto-normativ, politisch-programmatisch im Gegensatz zu den empirisch nachprüfbaren, veri- oder falsifizierbaren theoretischen Aussagen[6]. Das Werturteil ist nach Geiger „der klassische Fall einer ideologischen Aussage"[7], da ein beliebiges Gefühlsverhältnis einer Sache gegenüber zu einer dieser Sache selbst innewohnenden Eigenschaft umgedeutet wird. Herausgenommen aus dem Bereich der Erkenntnislehre und angewendet auf das vorliegende terminologische Problem heißt das: *Das Gesellschaftsbild enthält das pure soziale Wissen, die Vorstellungen von der gesellschaftlichen Wirklichkeit; die Ideologie enthält die wertende Stellungnahme zur (vermeintlichen) sozialen Wirklichkeit.*

Da Gesellschaftsbild und Ideologie immer gemeinsam auftreten, d. h. soziale Vorstellung und Einstellung wechselseitig voneinander abhängig sind, können die Begriffe nur analytisch auseinandergehalten werden. In unserem Zusammenhang sind Vorstellungen und Werturteile von Bedeutung, die *gesamtgesellschaftliche Aspekte* betreffen wie etwa die soziale Schichtung bzw. den Klassenaufbau in der BRD oder das institutionalisierte Wert- und Normsystem der westdeutschen Gesellschaft.

Gesellschaftsbilder in unserem Sinne sind grundsätzlich empirisch nachprüfbar, was nicht heißt, daß sie hier faktisch nachgeprüft werden können. Die heutige einschlägige Sozialforschung verzichtet meistens auf das Abwägen der Realitätsgerechtigkeit von Gesellschaftsbildern, die sie in den Köpfen der Leute vorfindet; sie beschränkt sich auf ihre Deskription und Angabe über ihre Verteilung in der Bevölkerung. Im besten Fall vergleicht sie die Gesellschaftsbilder und stellt Unterschiede in ihrer Reichweite und Differenzierung fest. Der Vorwurf der „bloßen Reproduktion von Fakten", den die empirische Sozialforschung so oft zu hören bekommt, ist in diesem Zusammenhang nichts als eine Schmeichelei: Wenn bloß die wichtigsten Fakten endlich richtig reproduziert wären!

3. Hypothesenbildung

In der Vorstellung vieler Gesellschaftsmitglieder gilt der Schriftsteller als Außenseiter. Oder man hat überhaupt keine Vorstellung von ihm. Er hat keinen bestimmbaren Standort im gesellschaftlichen Gefüge. Das zeigt auch eine Untersuchung von Bolte über *Berufsprestige:* Die Einordnung des Schriftstellers durch eine repräsentative Stichprobe von Gesellschaftsmitgliedern in eine Skala vorgegebener Berufe erweist sich als höchst unsicher, sie schwankt in beträchtlichem Maße, wenn sie nicht überhaupt verweigert wird, wohingegen Berufe wie Arzt oder Kellner einen ganz

---

[6] *Th. Geiger:* Kritische Bemerkungen zum Begriff der Ideologie, in: Th. Geiger: Arbeiten zur Soziologie, Neuwied und Berlin 1962, S. 412 ff. *H. Albert:* Theorie und Prognose in den Sozialwissenschaften, in: *E. Topitsch* (Hrsg.): Logik der Sozialwissenschaften, Köln, Berlin 1965, S. 135.
[7] *Th. Geiger* a.a.O., S. 417.

bestimmten Platz eingeräumt bekommen[8]. Offensichtlich können die Befragten dem Schriftsteller keinen funktionalen Stellenwert geben und sind nicht bereit, ihm die Anerkennung des Dazugehörens auszusprechen. Der Schriftsteller wiederum erfährt dadurch keine allgemeinen Rollenerwartungen, d. h. er sieht seine Tätigkeit nicht strukturiert und legitimiert durch ein anspornendes und forderndes, „erwartungsvolles" Interesse einer Mehrzahl von Gesellschaftsmitgliedern.

Wie es scheint, sind Schriftsteller gesamtgesellschaftlich *isoliert*. Das bedeutet in unserem Zusammenhang nicht persönliche Einsamkeit, Kontaktlosigkeit, desolates Hocken in der Mansarde, sondern ist vor dem Hintergrund der Gesamtgesellschaft zu sehen, nämlich als Mangel an Rollen-, Funktions-, und Statuszuschreibung, Mangel oder Verweigerung einer allgemeinen Anerkennung, und damit insgesamt *Entfremdung* von zentralen Gesellschaftsbereichen. (So muß ein Schriftsteller z. B. auch als Mitglied einer künstlerischen Subgruppe als sozial isoliert bezeichnet werden, wenn diese Gruppe gesamtgesellschaftlich isoliert ist.)

Ein Teil der zu prüfenden *Hypothese* enthält also die Annahme, daß der *heutige (jüngere) Schriftsteller gesellschaftlich isoliert ist.* Die durchgeführten Interviews geben einerseits Aufschluß über einige Eigenschaften der schriftstellerischen Situation, die den Autor in die Lage eines gesellschaftlichen Außenseiters bringen können. Andererseits zeigen sie, ob sich der heutige jüngere Schriftsteller für gesamtgesellschaftlich isoliert hält.

Welchen Einfluß kann nun soziale Standortlosigkeit auf die Gesellschaftsbilder haben? Das Fehlen des Standorts wird kaum das Fehlen eines Gesellschaftsbildes mit sich bringen, weil ohne gewisse soziale Vorstellungen überhaupt kein soziales Handeln mehr möglich ist. Dagegen könnte der Mangel an unmittelbarer sozialer Erfahrung ein schablonenartiges, gering differenziertes Gesellschaftsbild zur Folge haben. Wie erwähnt, haben die Inhaber eines bestimmten Status ein ziemlich differenziertes Bild ihrer Statusumgebung: Das Fehlen eines Status könnte jedes differenzierte Aufgliedern der sozialen Wirklichkeit verhindern.

Wie kann sich eine mögliche gesellschaftliche Isolierung des Schriftstellers auf seine *Bewertung* der sozialen Verhältnisse auswirken? Vorläufig, um die Hypothese halbwegs plausibel zu machen, genügt der Satz: „. . . der Hauptinhalt radikaler Ideologien leitet sich ab von gesellschaftlicher Mißintegration."[9] Die Annahme muß geprüft werden: Individuen, die sozial „abgeschoben" werden, die die frustrierende Erfahrung gesellschaftlicher Standortlosigkeit und Funktionslosigkeit machen, neigen zur Kritik am gesellschaftlichen Ganzen, verwerfen die gegenwärtige soziale

---

[8] *K. M. Bolte:* Sozialer Aufstieg und Abstieg, Stuttgart 1959, S. 46 u. 62; s. auch Tab. 4 S. 38, Tab. 5 S. 42.
[9] *H. M. Johnson:* Sociology, New York 1960, S. 609 (auch im folgenden: alle Übersetzungen vom Verf.).

Ordnung, die ihnen und ihren Interessen keinen Platz bereithält, und drängen auf soziale Veränderung. Diese vermutete Werthaltung und das vermutete Konzept der politisch-sozialen Veränderung möchten wir „*progressive Ideologie*" nennen. „Progressiv" bezieht sich auf den Wunsch sozialer Veränderung mit dem Ziel einer „besseren" Gesellschaftsverfassung, die über den Status quo und seine Vergangenheit hinausgeht[10].

Die Gesamthypothese, die in der vorliegenden Untersuchung geprüft werden soll, lautet also folgendermaßen: *Insoweit jüngere westdeutsche Schriftsteller gesellschaftlich isoliert sind, neigen sie zu gering differenzierten Gesellschaftsbildern und progressiven Ideologien.*

Eine erste Überlegung betrifft die Frage, nach welchem *Maßstab* die Differenzierung eines Gesellschaftsbildes gemessen werden kann. Selbstverständlich steht kein absoluter Maßstab zur Verfügung. Ein *Vergleich* ist nötig. Es hat aber wenig Sinn, falls es überhaupt möglich ist, die Gesellschaftsbilder der Literaten nach dem Grade ihrer Differenzierung mit dem Durchschnitt aller anderen in der Bevölkerung bisher ermittelten Gesellschaftsbilder zu vergleichen. Hier ist die Tatsache von Bedeutung, daß ein Teil der Schriftsteller neben der literarischen Betätigung einen Beruf ausübt, und zwar i. d. R. einen gehobenen[11]. Die *nebenberuflich* tätigen Schriftsteller, darf man annehmen, erfahren aus ihrer Berufstätigkeit bestimmte Rollenerwartungen, sie gelten dort als Funktionsträger, sie erfahren eine soziale Realität, in der sie einen Platz einnehmen. Damit dürfte die gegenwärtige soziale Verfassung für diese Schriftsteller, die weniger isoliert sind als ihre *freien* Kollegen, kein entferntes System mehr sein, sondern eine vom eigenen halbwegs sicheren Standort aus erlebte, erklär- und differenzierbare Wirklichkeit. Der *interne Vergleich* bietet sich also an: *Die Gesellschaftsbilder der berufstätigen Schriftsteller sollen mit denen der freien Autoren nach Art und Differenzierung*[12] verglichen werden.

Die soziale Sicherheit und Vergünstigungen (Prestige, Verfügungsbefugnisse), die eine gehobene Berufsposition vermitteln, könnten auch die *Ideologien* der berufstätigen Schriftsteller, im Vergleich zu denen der freien, entscheidend prägen, und zwar in Richtung einer konservativeren Werthaltung. Es wird sich zeigen, ob signifikante Unterschiede auftreten.

Im Zusammenhang mit den Nebenberufen der Autoren sei hypothetisch auch auf die Möglichkeit von *Interrollenkonflikten* zwischen Schriftstellertätigkeit und

---

[10] Begriffe wie „progressiv" oder „konservativ" beziehen sich hier also nicht auf den Inhalt irgendwelcher Ideologien, sondern auf deren *Verhältnis* zu den bestehenden gesellschaftlichen Institutionen.

[11] Auch *Gertraud Linz* stellt fest, daß Autoren „Elite im Nebenberuf" sind; s. *G Linz*: Literarische Prominenz in der Bundesrepublik, Olten, Freiburg 1965. S 205.

[12] Die Operationalisierung des Begriffes findet sich in Kap. III, 3.

Nebenberuf hingewiesen. Diese Konflikte ergeben sich aus den Widersprüchen zwischen gesellschaftlichen Erwartungen oder Forderungen, die an die beiden verschiedenartigen Tätigkeiten gebunden sind. Bei der Untersuchung dieser Frage ist zu berücksichtigen, daß die Schriftstellertätigkeit wahrscheinlich keine „echte" Rolle darstellt, d. h. die Rolle ist sozial nicht definiert, die Gesellschaft kümmert sich so gut wie nicht um die Tätigkeit und stellt auch keine Erwartungen, oder – und hier besteht die Möglichkeit des *Intra*rollenkonfliktes, die auch für die freien Autoren gilt – die Erwartungen, die die Gesellschaft stellt, stimmen nicht mit denen überein, die der Schriftsteller an sich selbst, bzw. eine kleine literarische Spezialistengruppe an ihn, stellt.

Zusammenfassend sei noch einmal der Gedankengang skizziert:

Ausgangspunkt: Gesellschaftsbilder und Ideologien sind standortspezifisch.

Haupthypothese: Insoweit Gesellschaftsmitglieder gesellschaftlich isoliert, Außenseiter sind, neigen sie zu gering differenzierten Gesellschaftsbildern und progressiven Ideologien.

Nebenhypothese: Eine allgemein als funktional anerkannte Berufstätigkeit integriert in das soziale Ganze; sie vermittelt soziales Wissen und trägt, als gehobene Tätigkeit, zur Anerkennung der bestehenden sozialen Verhältnisse bei.

Spezifikationen: Schriftsteller scheinen gesellschaftlich isoliert zu sein; ein Nebenberuf kann sie integrieren: Dann müßten im Vergleich zu den berufstätigen Autoren die Gesellschaftsbilder der freien Schriftsteller undifferenziert und ihre Ideologien progressiv sein.

Eine weitere Annahme: Alle Autoren sehen sich einem Intrarollenkonflikt ausgesetzt, die berufstätigen dazu einem Interrollenkonflikt.

4. Zum Verfahren der Untersuchung

Auswahl der Befragten

Wie erwähnt, sollten die Hypothesen durch Interviews mit Schriftstellern geprüft werden. Um die Grundgesamtheit „Schriftsteller" zu beschränken und die Stichprobe altersmäßig halbwegs vergleichbar zu machen, wurde das *Höchstalter* der Befragten auf *39 Jahre* festgesetzt. Da sich die soziale Position der Frau in wesentlichen Punkten von der des Mannes unterscheidet, sollte, um Unsicherheitsfaktoren auszuschließen, die Stichprobe nur *männliche Autoren* enthalten.

Interviewt wurden *30 Schriftsteller* aus der Bundesrepublik (einschl. West-Berlin), die folgendermaßen erreicht wurden: Die 16 bedeutendsten belletristischen Verlage der Bundesrepublik und der Schweiz wurden angeschrieben und um die Namen all der westdeutschen männlichen Autoren unter 40 gebeten, die mindestens *ein* belletristisches Buch (Prosa oder Lyrik) veröffentlicht hatten. 40 Anschriften wurden so ermittelt, von denen dann 24 – ausschließlich in *Großstädten* – aufgesucht werden konnten. Die anderen waren wegen abgelegenen Wohngegenden oder Abwesenheit nicht zu erreichen. Auf die übrigen 6 Namen der Stichprobe – darunter auch Lyriker, die zwar noch kein eigenes Buch, aber sehr häufig Beiträge in Anthologien oder den großen literarischen Zeitschriften veröffentlicht hatten – wurde während der Interviews hingewiesen.

Der jüngste Autor war zur Zeit der Befragung (Mai, Juni 1967) 23 Jahre alt, die ältesten 39. Die Altersverteilung ist ziemlich einheitlich; das Durchschnittsalter betrug 31,7 Jahre. Es wird sich zeigen, ob altersspezifische Unterschiede in den sozialen Vorstellungen und Einstellungen auftreten.

Die Frage nach der *Repräsentativität* der Stichprobe läßt sich nicht mit aller Sicherheit beantworten. Die Grundgesamtheit der Schriftsteller dieser Altersklasse ist kaum zu ermitteln. Dagegen bieten die verschiedenartigen Profile der Verlage, bei denen die Autoren veröffentlichen, eine bestimmte Gewähr dafür, daß die Autoren in bezug auf ihre politischen Einstellungen *nicht einseitig* ausgewählt wurden.

Der Fragebogen

Wegen des „formulativen", d. h. den Problemkreis nur absteckenden Charakters der Studie und der geringen Anzahl der Befragten empfahl sich ein möglichst *offenes Interview* ohne dirigierende Antwortvorgaben. Der Interviewleitfaden sollte der Individualität der Befragten einen möglichst großen Spielraum lassen, dennoch aber die Vergleichbarkeit der Antworten gewährleisten. Ergänzungs- und Sondierungsfragen halfen von Fall zu Fall die Antworten klären.

In der Annahme, daß sich Schriftsteller ohne Hilfestellung verständlich machen können und nur einen halbwegs gezielten Anreiz zu sprechen benötigen, wurden im großen und ganzen ziemlich allgemeine Fragen gestellt, um z. B. nicht von der Einstellung zu sozialen Einzelheiten auf die allgemeine Einstellung gegenüber den gesamtgesellschaftlichen Verhältnissen schließen zu müssen. Das führte zwar dazu, daß einige Autoren ihre gelegentlichen Pauschalantworten selbst als „Klischees" bezeichneten, aber niemand sprach den eigenen Klischees in diesem Zusammenhang einen subjektiven Wahrheitsgehalt ab.

Die Auswertung

Bei der Auswertung eines relativ offen gehaltenen Interviews wird die methodologische Forderung nach *intersubjektiver Nachprüfbarkeit* zu einer kaum zu überwindenden Schwierigkeit. Bei der Konstruktion deskriptiver Kategorien aus den Antworten, die 5 bis 10 Seiten wörtlicher Mitschrift betrugen, bestand die Gefahr, daß der Interpretierende eigene Vorstellungen und Vorurteile in den Text hineinträgt. Um diese Gefahr ein wenig zu verringern, sollen als kontrollierbare Belege der Interpretation viele Antwortbeispiele gebracht werden[13].

Einen entscheidenden Einfluß auf die Antworten der Schriftsteller könnten die Ereignisse im Zusammenhang mit dem Schahbesuch in der BRD gehabt haben. 27 der 30 Autoren (9 von 11 Berlinern) wurden nämlich ganz kurz nach dem 2. Juni 1967, an dem der Student Benno Ohnesorg in West-Berlin erschossen wurde, interviewt. Viele Autoren bezogen sich im Verlauf des Interviews auf diese Vorfälle (und nahmen gegen die Berliner Polizei Stellung). Es ist möglich, daß dadurch die sozialen Wertungen schärfer und konzentrierter ausfielen als sie vorher ausgefallen wären. Doch hat die weitere Entwicklung bis heute die betreffenden Autoren sicher nicht dazu veranlaßt, jene damals aktualisierte Aversion gegen die Verfügungsgewaltigen zu revidieren.

---

[13] Weitere Anmerkungen zur Technik der Untersuchung befinden sich im Anhang.

II. Die gesellschaftliche Situation junger Schriftsteller

1. Freie und berufstätige Autoren

Von den 30 Literaten bezeichneten 14 sich selbst als *freie Schriftsteller*. 2 von ihnen widmen sich erst seit 2 Jahren ausschließlich literarischer Arbeit, alle anderen seit längerer Zeit. Unter den 23- bis 26jährigen befindet sich kein freier Schriftsteller. Der Name, von dem ein Autor leben kann, wird offensichtlich erst in späteren Jahren erworben. 3 der 14 freien Schriftsteller waren über einen längeren Zeitraum (mindestens 4 Jahre) Arbeiter, 4 haben eine längere Angestelltentätigkeit hinter sich; von den kleinen, biographisch eher dekorativen Gelegenheitsarbeiten muß abgesehen werden.

Einen *festen Beruf* haben 13 der Befragten (einer von ihnen war vorher 7 Jahre lang freier Schriftsteller). Alle nebenberuflich Tätigen, mit der Ausnahme eines Freiberuflichen, sind *höhere Angestellte*. Die Berufe können unterteilt werden in 10 literaturnahe (Lektoren in Verlagen, Kulturredakteure bei Zeitungen und im Rundfunk) und 3 literaturferne. Hier ist auf eine vermutete Eigenart der literaturnahen Berufe hinzuweisen: Diese Berufspositionen sind im Vergleich zu anderen, statusgleichen Berufspositionen relativ unabhängig von der formellen Ausbildung ihrer Inhaber. Statt dessen werden bestimmte persönliche, künstlerische Fähigkeiten vorausgesetzt. Künstlerische Fähigkeiten entziehen sich bis zu einem gewissen Grade einer genauen Bestimmung und Voraussage. Deshalb sind die entsprechenden Rollenerwartungen evtl. auch diffuser. Die Rolle ist gegenüber anderen weniger genau definiert und gestattet dem Rollenträger eine gewisse Freizügigkeit und Unabhängigkeit von den sozialen Forderungen, denen ein vergleichbarer Berufsstatus ausgesetzt ist. Es wird zu fragen sein, ob diese angenommene Tatsache der ungenaueren Rollendefinition irgendeinen merklichen Einfluß auf die Gesellschaftsbilder und Ideologien der Betreffenden ausübt.

Diese gewisse Freizügigkeit dürfte auch der Grund für die häufige Übernahme literaturnaher Berufe durch Schriftsteller sein. In diesem Beruf bleiben sie halbwegs autonome Schriftsteller, wogegen literaturferne Berufsrollen auf ihre künstlerischen Fähigkeiten und Eigenheiten meist keinerlei Rücksicht nehmen.

Unsere Stichprobe umfaßt also 14 freie und 13 berufstätige Autoren. Dazu kommen 3 Studenten, die als eigene Kategorie behandelt werden müssen. Die dichtenden Studenten können nicht den freien und schon gar nicht den berufstätigen Autoren zugeschlagen werden, da ihre gesellschaftliche Situation spezifische Eigentümlichkeiten aufweist: eine in der Anlage vorübergehende, institutionalisierte Statusunsicherheit.

Das quantitative Verhältnis zwischen freien und berufstätigen Schriftstellern in der vorliegenden Stichprobe (bei 27 = 100 %: 51,8 % freie, 48,2 % berufstätige Autoren) scheint halbwegs repräsentativ für die westliche Welt zu sein. Zum Vergleich: Unter den französischen Romanautoren befanden sich 1954 41 % freiberufliche Schriftsteller[14]; von den amerikanischen Schriftstellern aller Art beziehen 46,6 % ihr Gesamteinkommen durch ihre schriftstellerische Tätigkeit[15]. (Dazu Forschungsergebnisse, die sich auf das 19. Jahrhundert beziehen: In England lebten durchschnittlich 44 %, in Frankreich 52 % der Schriftsteller allein von ihrer literarischen Tätigkeit[16].)

2. Soziale Herkunft und Bildungsweg

Die soziale Herkunft und die Ausbildung der Befragten ist aus folgender Tabelle ersichtlich. Um die Positionen der Väter mit denen der Schriftstellersöhne vergleichen zu können, wurden die Positionen in Begriffen der formalen Bildung beschrieben.

Tabelle 1: Ausbildung und Herkunft der Schriftsteller

	Ausbildung der Schriftsteller						
	Volks-schule	Mittlere Reife	Abitur	Studierende	Studium ohne Abschl.	Studium mit Abschl.	Summe
Volks-Schule	1b	2b, 1f			1b	1b, 1f	7
Mittl. Reife		1b, 2f			1b, 1f	1b, 1f	7
Abitur	1f	2f				1b	4
Studium m. Abschl.		1b, 1f		3	3f	3b, 1f	12
Summe	1b, 1f/2	4b, 6f/10		3	2b, 4f/6	6b, 3f/9	30

(links senkrecht: Ausbildung der Väter)

Die Zahlen in den Kästchen geben die jeweilige Anzahl der freien (= f) und berufstätigen (= b) Schriftsteller an, die die oben quer angegebene Ausbildung und deren Väter die links senkrecht angebene Ausbildung haben.

9 der Autoren schlossen ein Studium ab (3 davon haben promoviert). Eine auffällig große Zahl (6) brach das Studium ab. Das hat u. a. wohl folgenden Grund: Im Alter von ungefähr 22 bis 26 Jahren fällt oft die Entscheidung, ob der junge Mann sich und andere von seinem literarischen Talent überzeugen kann und sich intensiv an die schriftstellerische Arbeit macht, oder ob er seine belletristischen Ambitionen als Schülerflausen behandelt und aufgibt. In die Zeit des Studiums fallen meistens

---

[14] *R. Escarpit:* Das Buch und der Leser, Köln, Opladen 1961, S. 58, Anm. 41.
[15] *W. H. Lord:* Die finanzielle Lage der amerikanischen Schriftsteller, in: *N. Fügen* (Hrsg.): Wege der Literatursoziologie, Neuwied und Berlin 1968, S. 290.
[16] *R. Escarpit,* a.a.O., S. 58.

die ersten Veröffentlichungen. Abgesehen davon, daß intensives literarisches Arbeiten und ebensolche Existenz den jungen Schriftsteller den Erfordernissen eines Studiums entfremden dürfte, sieht hier der Autor die Möglichkeit einer *„Ersatzkarriere"*, die, unabhängig vom formellen Positionsstatus des Betreffenden (etwa: „der Diplomlandwirt"), den persönlichkeitsbestimmten Status betont (etwa: „der Fichte"). Dieser Status ist, typisch für die „Prominenz" à la B. B., nur an den Namen des einzelnen gebunden.

Nochmals zurück zu den 9 Akademikern, von denen nur 3 freie Schriftsteller sind – und auch diese drei waren alle einmal berufstätig: Offensichtlich wird ein abgeschlossenes Studium beruflich nicht leicht unausgenützt gelassen, bzw. der akademische Grad wird beruflich erst einmal eingeweiht. Warum? Es scheint so, als wollten die Universitätsabsolventen das ihnen automatisch zugeflossene Prestige, die Statussicherheit durch ein mehr oder weniger armseliges und sozial verrufenes Schriftstellerdasein nicht leichtfertig verunsichern. Der schriftstellernde Akademiker läßt wohl erst dann seinen (wie sich bei fast allen Autoren zeigen wird: ungeliebten, lästigen) Beruf fallen, er riskiert erst dann eine Verunsicherung, wenn er subjektiv sicher sein kann, daß sein persönlichkeitsbestimmter Schriftstellerstatus seinen positionsbestimmten überflügelt.

12 der 30 Autoren haben die mittlere Reife erreicht bzw. das Gymnasium abgebrochen, oder Volksschulbildung. *G. Linz* stellt fest, daß 82 % der von ihr untersuchten Literaten (n = 199; Durchschnittsalter *über* 60) das Abitur gemacht und knapp 50 % promoviert haben[17]. Demgegenüber scheint es bei den *jungen* Schriftstellern Anzeichen der *Entakademisierung* zu geben.

3. Der Lebensunterhalt

Poeten sind arm. Diese Kenntnis ist nicht erst seit *Spitzweg* ein fester Bestandteil der Volksweisheit. Und bei der Frage, ob die Poeten deshalb immer im Bett liegen, weil sie arm sind, oder ob sie deshalb arm sind, weil sie immer im Bett liegen, entscheidet das Volk sich wohl für die zweite Version.

Auch die vorliegende Untersuchung ergab, daß Schriftsteller kaum von ihren Werken leben können, nicht einmal dann, wenn sie bekannt sind[18]. Die Mehrzahl der Autoren konnte zwar die monatlichen oder jährlichen Verdienste aus ihren primärliterarischen Arbeiten nicht genau angeben; aber das meistgebrauchte Wort war „minimal". Vermutungen ergaben zwischen DM 25,– (das waren die Lyriker) und DM 500,– monatlich, die

[17] *G. Linz*, a.a.O., S. 150. Dieser Befund wird etwas verunsichert durch die unterschiedlichen Kriterien der Stichprobenauswahl: Linz erfaßte nur Autoren, die Mitglieder von Akademien der Schönen Künste oder des PEN-Clubs sind.

[18] Das hat *B. S. Myers* auch für die zeitgenössischen amerikanischen Maler bestätigt; referiert in *B. A. Watson:* Kunst, Künstler und soziale Kontrolle, Köln, Opladen 1961, S. 52 f.

aber jederzeit auch ausbleiben können. Viele Verlage sind dazu übergegangen, dem Autor vor dem Erscheinen seines Buches einen Vorschuß oder eine Pauschalsumme (zwischen DM 1000,– und 2000,–) zu bezahlen; der Vorschuß kann auch in einem monatlichen Stipendium für die Zeit bestehen, in der das Buch geschrieben wird, was den freien Schriftstellern temporär in eine Art angestellten Gehaltsempfänger verwandelt. Dazu kommen die kleinen Honorare für Beiträge in Zeitschriften oder Anthologien. Zwischen dem Erscheinen der verschiedenen Bücher eines Autors liegen oft einige Jahre. Der Lebensunterhalt für diese Zeit kann von den Honoraren für das vorhergehende Buch kaum bestritten werden.

Von den befragten Schriftstellern haben 17 einen oder mehrere *Literaturpreise* oder *Förderungsstipendien* erhalten (bei einigen der restlichen 13 Autoren liegt die erste Veröffentlichung noch nicht weit zurück). Der Haupternährer aber der Schriftsteller sind die *Rundfunk-* und evtl. die *Fernsehanstalten,* manchmal auch Zeitungen. Wie ein Befragter sagte,

„haben die Rundfunkanstalten heute die Mäzene der letzten Jahrhunderte ersetzt" (29)[19].

Hier wäre zu unterscheiden zwischen *Mäzenatentum* im Sinne von „Unterstützungsfonds für bedürftige Künstler" und Auftragsmäzenatentum, das ja weniger auf die Bedürfnisse des Künstlers als auf die des Auftraggebers zugeschnitten ist. Einige deutsche Rundfunk- und Fernsehanstalten unterhalten Unterstützungsfonds verschiedenen Umfangs[20]. Sehr viel mehr aber sind die Schriftsteller auf die zweite Art des Mäzenatentums angewiesen. Nur selten findet dort Primärliteratur Verwendung. Die große Nachfrage besteht nach „Nachkunst" (Literaturkritiken, kulturelle Beiträge). Die freien Schriftsteller erreichen heute damit (plus Primärliteratur und Stipendien) ein monatliches Einkommen von DM 500,– bis 2500,– (das letztere gaben 3 als gelegentlich erreichte Höchstgrenze an). Am häufigsten genannt wurden 1000,– DM. Das Einkommen ist natürlich keineswegs fest, sondern schwankt von Monat zu Monat in beträchtlichem Maße[21].

Die Antwort auf die Frage ist sicherlich interessant, was die Schriftsteller von einer *staatlichen* Dauerunterstützung als einem möglichen Ausweg aus der eigenen ökonomischen Unsicherheit halten (s. Frage 8 des Interviews). Frage 8 sollte auch die ersten Anhaltspunkte der Einstellung

[19] Statt der Namen der Befragten steht im folgenden ihre Nummer (in der Reihenfolge der Interviews) nach den wörtlichen Zitaten.
[20] Einen Überblick geben *R. König* und *A. Silbermann:* Der unversorgte selbständige Künstler, Köln, Berlin 1964, S. 50 ff.
[21] Daß die befragten jüngeren Autoren noch relativ gut situiert sind, mag man aus den Angaben der Vereinigung der deutschen Schriftstellerverbände ersehen, wonach jährlich 5,3 Mill. DM erforderlich wären, wenn alle notleidenden Künstler monatlich DM 300,– erhalten sollten; s. *R. König* und *A. Silbermann,* a.a.O., S. 42, Anm. 40a.

der Autoren gegenüber dem Staat zutage fördern. *Für* eine solche Unterstützung sprachen sich „grundsätzlich" 19 der Befragten aus (davon 13, die schon einmal eine staatliche oder private Förderung erhalten haben), *dagegen* 10 (davon 7, die noch keine Förderung erhalten haben). Einer enthielt sich der Antwort.

Die hohe Zahl der zustimmenden Antworten mag vielleicht erstaunen: Die Schriftsteller fordern indirekt damit, daß Staat und Gesellschaft ihre (wie immer geartete) Arbeit als wertvoll, nicht entbehrlich einschätzen. Sie beanspruchen für sich das Privileg einer subventionierten „*Wirtschaftsenthobenheit*". Steckt dahinter die Einstellung, daß die Kraft der Persönlichkeit und die Würde der brotlosen Arbeit finanzielle Hilfe bei denen suchen kann, die beides nicht aufzuweisen haben, dafür aber ökonomische Sicherheit? Diese Frage muß hier unbeantwortet bleiben.

Wie sich später zeigen wird, besteht in den Augen der Autoren die Würde der schriftstellerischen Arbeit ganz besonders in ihrer aufklärerischen, „destruktiven" Kraft. Nur soweit halten sie die Arbeit für nützlich und förderungswürdig. Sie soll nicht „funktional" als ein Beitrag zur Aufrechterhaltung der gegenwärtigen sozialen und politischen Verhältnisse sein, sondern das Gegenteil: „dysfunktional". Die Schriftsteller argwöhnen, daß der gegenwärtige Staat kaum eine dysfunktionale Arbeit fortlaufend unterstützen wird. Insofern unterscheiden sich die grundsätzlichen Befürworter und Gegner einer staatlichen Unterstützung kaum: Beide bringen die schwerwiegenden Vorbehalte, daß heute eine staatliche Unterstützung einen bestimmten *ideologischen Zwang* bedeuten würde bzw. daß nur die bieder staatstreuen, tabubewußten Literaten in den Genuß dieser Vergünstigung kämen. Auf Frage 8 wurde die Antwort Ja also nur unter dem als utopisch bezeichneten Vorbehalt gegeben, daß das nicht der Fall ist, und die Antwort Nein unterstellt, daß das immer der Fall sein wird. Neben einer grundsätzlichen Befürwortung einer Unterstützung für Schriftsteller läßt sich also ein ausgeprägtes Mißtrauen gegenüber der unterstützenden Instanz, besonders dem Staat, feststellen[22].

Der Argwohn der Autoren, daß Hilfsgelder von staatlicher und auch anderer Seite unter ideologischen Gesichtspunkten verteilt werden, kann durch folgende Redeweisen wohl kaum aus dem Weg geräumt werden: „Trotzdem haben wir immer geholfen, wo wir nur konnten; denn viele deutsche Dichter, die Wertvolles an geistigen Werken der Nation schenkten, leben im Alter in bitterster Not."

---

[22] Notiz in der „Süddeutschen Zeitung" v. 22. 1. 1969; Kühn: Preisanwärter sollen politisch überprüft werden. Bei den Trägern des großen Kunstpreises von Nordrhein-Westfalen und der Förderpreise soll künftig nicht nur die Arbeit der Auszuzeichnenden fachlich bewertet, sondern auch ihre „Verwurzelung" in der freiheitlich-demokratischen Gesellschaft geprüft werden. Das erwiderte Ministerpräsident Kühn in einer Landtagsdebatte auf Vorwürfe des rheinischen CDU-Vorsitzenden Grundmann. Sie bezogen sich auf die Verleihung des mit 6000 Mark dotierten Förderpreises für Literatur an den 26jährigen Schriftsteller Hans-Günther Wallraff. Grundmann warf Wallraff „zweifelhafte Methoden beim Recherchieren" vor und nannte sein Verhältnis zur Demokratie „äußerst fragwürdig".

(Westdeutscher Autorenverband); „Die Gefahr einer künstlerischen Impotenz durch wirtschaftliche Verelendung bedroht viele unserer kulturell wertvollen Kräfte." (Max-Dauthendey-Gesellschaft). Die Deutsche Künstlerhilfe benutzt den Ausdruck „Ehrensold" für ihre Notzuschüsse[23].

Nur 4 Autoren meinen, daß das Risiko des Schriftstellerdaseins ohne fremde Hilfe mit allen Konsequenzen ausgetragen werden müsse. Sie nehmen die schöpferische Persönlichkeit aus einer Zuständigkeit der Gesellschaft heraus.

4. Die Bezugsgruppen

Der Verkehrskreis der Autoren: Immer wieder wird den Schriftstellern vorgeworfen, sie hätten ausschließlich Umgang mit ihresgleichen, trieben deshalb geistige Inzucht, die sich in einer auffälligen Konformität ihrer Einstellungen, Verhaltensweisen und sogar ihrer literarischen Produkte offenbare. Auch in unserem Zusammenhang interessiert die Frage des *sozialen Umgangs* der Schriftsteller und ihrer Bezugsgruppen (vorläufig im Sinne von Mitgliedschaftsgruppen). Der soziale Umgang kann ein Indikator der gesamtgesellschaftlichen Integration sein: Je größer und verschiedenartiger (z. B. nach den Merkmalen Beruf, Ausbildung, Herkunft) der Umgang eines Schriftstellers ist, desto weniger kann man von seiner gesellschaftlichen Isolierung sprechen. Im umgekehrten Fall, wenn der Umgang auf die Eigengruppe beschränkt bleibt, muß man weiterfragen: Was treibt den Schriftsteller so ausschließlich in die Arme der Eigengruppe? Und: Entwickelt diese Gruppe eine die Mitglieder bindende Subgruppenkultur, die der Hauptkultur widerspricht und deshalb zur Subgruppenisolierung beiträgt?

28 der 30 Autoren bezeichneten spontan *Schriftsteller* als ihren *nächsten Umgang*[24], 15 davon nannten im selben Atemzug *Maler*. 7mal wurden dazu *Studenten* angegeben. Von den Schriftstellern mit Nebenberuf pflegen nur einige darüber hinaus — nicht immer freiwilligen — Umgang mit ihren Arbeitskollegen, kaum einer mit anderen Berufen. Die Berufsausübung scheint den sozialen Umkreis der Literaten kaum zu erweitern. Von den freien Schriftstellern haben nur 5 außer mit ihresgleichen weiteren Kontakt mit literaturfernen Berufen, meistens nur mit einer einzigen Person. *Arbeiter* tauchen im näheren sozialen Erfahrungsbereich der Autoren nur zweimal auf, und auch dort an letzter Stelle. Das bedeutet: *Der unmittelbare soziale Horizont der Literaten ist auffällig eng.*

---

[23] Zitiert bei *R. König* und *A. Silbermann,* a.a.O., S. 45 f. und S. 55.
[24] Auch Wilson stellt fest, daß die Hauptbezugsgruppe des amerikanischen Schriftstellers die eigene Spezialistengruppe ist, nämlich Schriftsteller und Künstler; s. *R. N. Wilson:* The Poet in American Society, in: R. N. Wilson (Hrsg.): The Arts in Society, Englewood Cliffs 1964, S. 30 f.

Ein Teil der Befragten scheint sich dieser Tatsache bewußt zu sein, oder sie wurden durch die Frage Nr. 9 darauf aufmerksam gemacht. Einige stellten erstaunt fest, daß trotz scharfen Überlegens doch nur Schriftsteller (und Maler) zu ihrem Umgang gehören. Aber:

> „...es ergibt sich so. Mit denen kann man im Code reden; alles ist schneller und amüsanter." (4)

Andere sagten spöttisch: „Natürlich Schriftsteller!", wiesen damit auf die allgemeine Vorstellung des künstlerischen „Zusammengluckens" hin und bestätigten sie gleichzeitig. Weitere fanden, daß man „diesen Zustand ändern müsse", z. B.:

> „Was ich probiere, aber es ist schwierig: eine soziologische Erweiterung (meines Umgangs). Es besteht die Gefahr, daß ein kleines Milieu mit der Welt verwechselt wird. Ich habe Facharbeiter kennengelernt, Lehrer, kleine Angestellte: aber noch viel zuwenig." (28)

Warum ziehen sich die meisten Autoren so auffällig in ihre Eigengruppe zurück? Anhaltspunkte zur Beantwortung dieser Frage finden sich in Erklärungssätzen der *Jugendsoziologie*[25]:

> „Nicht einbezogen in die Welt der Erwachsenen, ja letztlich immer wieder aus ihr ausgeschlossen, werden die Jungen in eine Eigenwelt und ein Eigenleben abgedrängt. Schon das zwingt sie zum Zusammenleben mit ihresgleichen und verleiht diesem Zusammenschluß eine starke Akzentuierung: die Minderberechtigten werten sich durch Zusammenschluß auf."[26]

Ähnlich, wenn auch von einem ganz anderen Ansatz herkommend, versucht *Cohen* die „counterideologische" Gruppenbildung verwahrloster Jugendlicher aus den „Statusproblemen" der beteiligten, im Statuswettbewerb benachteiligten Unterschichtenjugendlichen zu erklären[27]. Derselbe Ansatz auch bei *Lipset* oder *Scheuch,* die für die Binnensolidarisierung eines Teiles der Studenten und deren ausgeprägte, dem z. B. bundesdeutschen Selbstverständnis scharf zuwiderlaufende Subgruppenideologie u. a. die Statusunsicherheit der Studenten, ihre Rollenambivalenz (sie hängen zwischen der Rolle des Jugendlichen und der des Erwachsenen sozusagen in der Luft) und ihre Unsicherheit in bezug auf die eigene Zukunft verantwortlich machen[28].

---

[25] Nicht wegen der Jugendlichkeit der Autoren, sondern wegen gewisser Parallelitäten der gesellschaftlichen Situation der Schriftsteller zu der der Jugendlichen wird hier die Jugendsoziologie angeführt.

[26] *H. H. Muchow:* Die Flegeljahre als Zivilisationsproblem, zitiert bei *H. Schelsky:* Das Bild der Jugend und des Jugendgemäßen in unserer Gesellschaft, in: *L. v. Friedeburg* (Hrsg.): Jugend in der modernen Gesellschaft, Köln, Berlin 1966, S. 125.

[27] *A. K. Cohen:* Kriminelle Jugend. Zur Soziologie jugendlichen Bandenwesens, Hamburg 1961.

[28] *S. M. Lipset:* University Student Politics, zitiert bei *L. Hack:* Zur neuen Faszination der Unmittelbarkeit, in: *L. Hack, O. Negt, R. Reiche:* Protest und Politik, Frankfurt 1968, S. 61. *E. K. Scheuch:* Soziologische Aspekte der Unruhe unter den Studenten, in: Aus Politik und Zeitgeschichte, Beilage zu „Das Parlament" vom 4. 9. 1968, besonders S. 18.

Es wäre wahrhaftig leichtsinnig, Jungen in den Flegeljahren, verwahrloste Jugendliche und linke Studenten zusammen mit Schriftstellern in einen soziologischen Topf zu werfen. Dennoch fällt auf, daß die soziale Situation all dieser Personen in relativ ähnlichen soziologischen Wendungen beschrieben und daß den so Charakterisierten die Tendenz zur Subgruppenbildung mit abweichenden Werthaltungen nachgesagt wird. Verallgemeinert lautet das:

„Wenn Status und Rolle einer bestimmten Gruppe von Personen nicht definiert sind, besteht bei diesen Personen die Tendenz, sich zu informellen, von der Gesamtgesellschaft nicht anerkannten Gruppen zusammenzuschließen, die eine eigene Subkultur aufbauen, die von der gesamtgesellschaftlichen Kultur mehr oder weniger abweicht."[29]

Bevor dieser Satz auch an den Schriftstellern geprüft werden kann — daß er auch für sie gilt, wird sich später erweisen —, muß die soziale Situation der Autoren genauer untersucht und weiterhin nach einer schriftstellerischen Subkultur gefragt werden.

Im Zusammenhang mit Interviewfrage 9 sei schließlich noch auf eine bemerkenswerte Einzelheit hingewiesen: In bezug auf den sozialen Umgang scheint es innerhalb der „Künstler" eine Trennungslinie zu geben, die die sog. schöpferischen Künstler von den interpretierenden, nachschaffenden absondert. Nur 3mal wurden bei Frage 9 Schauspieler aufgeführt (2 von diesen Autoren sind mit Schauspielerinnen verheiratet), dagegen, wie erwähnt, 15mal Maler. Es würde sich lohnen, dieser Auskunft nachzugehen. Betrachten die Primärkünstler ihre Sekundärkollegen, gemessen am Maßstab der Kreativität, als tieferstehend? Verhalten, Lebensart der nachschaffenden Künstler prägen das Künstlerbild des großen Publikums: Vermeidet der primäre Künstler diesen Umgang, um entgegen einer täglichen Anpassung der „nachkünstlerischen" Prominenz an die Erwartungen des Publikums sein „unsoziales", kommunikationsfremdes Selbstbild zu wahren? Die Schriftsteller scheinen nicht gewillt zu sein, sich zum „Künstlervölkchen", das durch nachromantische Verhaltenserwartungen bestimmt ist, rechnen zu lassen.

Familienstand: 19 der befragten Autoren sind verheiratet, 5 sind geschieden. Die Scheidungszahl ist relativ hoch und kann als Indikator für die geringe Anpassungsfreudigkeit oder -fähigkeit der schöpferischen Person an die soziale Institution der Ehe und Familie betrachtet werden. Nur 2 der Ehefrauen üben einen regelmäßigen nichtkünstlerischen Beruf aus; 6 haben eine künstlerische Ausbildung (hauptsächlich Kunsthochschulen). Die meisten sind Hausfrauen. Von ihrer Beschäftigung her gesehen tragen also die Frauen nicht zur Erweiterung des Sozialhorizontes ihrer Männer bei. Die Durchschnittszahl der Kinder bei den Verheirateten und Geschiedenen ist kleiner als 1 (0,86).

Zugehörigkeit zu Vereinen oder Verbänden: Ein Bedürfnis nach Mitgliedschaften in Vereinen u. ä. ist bei den Befragten sehr gering ausge-

---

[29] *P. Heintz:* Ein soziologischer Bezugsrahmen für die Analyse der Jugendkriminalität, in: *P. Heintz* und *R. König:* Soziologie der Jugendkriminalität, Sonderheft 2 der Kölner Zeitschrift für Soziologie und Sozialpsychologie o. J., S. 22.

prägt. Nur 5 gehören einem Schriftstellerverband an, 3 einer außerliterarischen Vereinigung, 2 davon der SPD. Offenbar widersprechen die Rollenzwänge und der dauernde Loyalitätsdruck einer formellen Mitgliedschaft auch von „Freiwilligenorganisationen" dem sozialen Unabhängigkeitsbedürfnis der Schriftsteller. Diese Weigerung, sich durch Mitgliedschaft in bestimmten Organisationen eindeutig und einseitig zu bestimmten Zielen, zu einem „. . .ismus" zu bekennen, hält z. B. *Geiger* für ein Wesensmerkmal der Intellektuellen überhaupt[30].

Das Verhältnis zum Elternhaus: Die Wahrscheinlichkeit, daß der Vater eines Schriftstellers selbst Autor ist oder war, ist sehr gering, schreibt *Lord*[31]. Das gilt offensichtlich nicht nur für die USA: Keiner der Befragten wuchs in einer Familie auf, die von künstlerischer Produktion lebte.

Man könnte annehmen, daß die schreibenden Söhne angesichts ihrer finanziellen und sozialen Schwierigkeiten einen bestimmten Rückhalt, eine Statusgeborgenheit bei ihrem Elternhaus suchen. Das Gegenteil ist der Fall. *Die Entfremdung des Schriftstellersohnes vom Elternhaus ist fast vollkommen.* Der Schock, den die Söhne ihren Eltern mit dem Wunsch beibrachten, Schriftsteller werden zu wollen, war noch zu überwinden, aber die Schmach, als sie es wirklich taten, war zu groß. Wie sich die Autoren erinnern, wurde mit dem Wort Künstler oder Dichter fast durchgehend Spinner, Faulpelz, Suff und Unmoral assoziiert. Solch eine noch dazu brotlose Beschäftigung war im besten Fall als Hobby erlaubt, nicht aber als Beruf.

„. . . Es war erlaubt und galt sogar für eine Ehre, ein Dichter zu *sein:* das heißt als Dichter erfolgreich und bekannt zu sein, meistens war man dann schon tot. Ein Dichter zu *werden* aber, das war unmöglich, es werden zu *wollen,* war eine Lächerlichkeit und Schande, wie ich bald erfuhr" schreibt *Hermann Hesse*[32]. Nichts scheint sich geändert zu haben: Die Kluft zwischen Elternhaus und jungen Schriftstellern ist fast unüberbrückbar:[33]

„. . . es ist ein bürgerliches Elternhaus mit Ressentiment gegen alles, was mit Kunst zusammenhängt." (2)
„Sie wollten, daß ich in den Staatsdienst gehe. Der Dichter ist für sie zersetzend, negativ; er landet beim Wahnsinn, im Zuchthaus." (3)
„Erst waren sie total ablehnend, es gab fürchterliche Streitereien, überhaupt kein Verständnis da. Sie wollten mich zum Psychiater schicken." (11)
„Es ist ein feindseliger Kontakt: Mein Geschäft bringt kein Geld und keine Ehre". (22)

[30] *Th. Geiger:* Aufgaben und Stellung der Intelligenz in der Gesellschaft, Stuttgart 1949, S. 131, 153.
[31] *W. J. Lord,* a.a.O., S. 287.
[32] Zitiert bei *H. N. Fügen:* Die Hauptrichtungen der Literatursoziologie und ihre Methoden, Bonn 1964, S. 160.
[33] Gleiches ermittelte *Mason Griff* bei amerikanischen Kunstakademiestudenten; s. M. Griff: The Recruitment of the Artist, in: *R. N. Wilson* (Hrsg.): The Arts in Society, Englewood Cliffs 1964, S. 80.

Die Beispiele ließen sich beliebig vermehren: „Völlig verständnislos, peinlich berührt, feindselig" usw. standen die Eltern der Ambition ihres Sohnes gegenüber. Die Haltung gegenüber ihrem Sohn, keineswegs aber die Verständnislosigkeit gegenüber der Literatur änderte sich ein wenig, wenn sich Erfolg einstellte. (Was die Eltern meist gleichsetzen mit: „Wenn er in der Zeitung steht".):

„Früher hielt sie (die Mutter) es nur für eine Spinnerei; heute ist sie fassungslos, daß man davon leben kann; es ist ihr unheimlich: Wo er das nur herhat, von mir nicht!" (13)

„Als ich 30 war, war ich nichts, mir fehlten zwei Zähne. Es hieß, er tut nichts, treibt sich nur rum. Andere hatten Kinder, den Doktor, Positionen. Aber dann hatte ich Erfolg." (4)

„Dem Vater ist es unheimlich, davon versteht er nichts. Einerseits ist er sehr stolz, andererseits voller Mißtrauen gegen Intellektuelle. Bücherschreiben ist für ihn unseriös. Daß man dafür Geld kriegt, erscheint ihm nicht gerechtfertigt." (9)

Nur 2 Autoren stellten fest, daß ihr eigener Erfolg die Eltern zur Akzeptierung des Schriftstellerberufes genötigt habe. Aber auch dort ist das Verhältnis „auf Eis gelegt".

5. Schriftsteller„rolle" und literarische Kontrakultur

Oben wurde der Terminus Bezugsgruppe mit dem sozialen Umgang des Schriftstellers, nämlich seiner künstlerischen Spezialistengruppe, gleichgesetzt. Jetzt soll der Begriff erweitert werden. Nach *Dahrendorf* sind Bezugsgruppen von einer sozialen Position aus gesehen alle Gruppen, die an diese Position bestimmte Rollenerwartungen haben und auch Sanktionen, positive und negative je nach Erfüllung der Erwartungen, bereithalten[34]. Diese Bezugsgruppen bilden für eine Position „die Gesellschaft". In diesem Sinne besteht das Beziehungsfeld der Schriftsteller aus drei Bezugsgruppen:

A *Die Schriftstellerkollegen.*
B *Die Vermittler* (Kritiker, Lektoren, Verleger).
C *Das Publikum.*

A und B sind literarische Fachgruppen mit relativ gleichartigen Erwartungen an die moderne Literatur und deren Schöpfer (wobei es hier um das grundsätzliche Sinnverständnis gegenüber der Literatur geht, nicht um die oft hitzigen inneren Auseinandersetzungen über die Möglichkeiten des Schreibens und Qualitäten von Geschriebenem). A ist gleichzeitig die Umgangsgruppe der Schriftsteller, während B als Bezugspunkt weniger direkt, nicht auf dem Wege engen persönlichen Kontaktes wirksam ist: Nur ein einziger Aurtor bezeichnete einen Kritiker u. a. als

[34] *R. Dahrendorf:* Homo sociologicus, Köln 1964, S. 35 f.

26

seinen näheren Umgang. (Hierbei ist zu bedenken, daß Lektoren und Kritiker oftmals selbst Schriftsteller sind und deshalb evtl. als solche aufgeführt wurden.)

Wer gehört zu C? Eigentlich jeder, der lesen kann und damit meist auch Erwartungen an Geschriebenes und Schreiber stellt. So gibt es etwa in der BRD eine immens große Nachfrage nach Trivialliteratur aller Art, die z. B. in Illustrierten oder Romanheften verbreitet wird – von den letzteren werden jährlich durchschnittlich 12,1 Exemplare pro erwachsenem Bundesbürger gelesen[35]. Demgegenüber ist der Markt für neue Literatur äußerst begrenzt: Die durchschnittliche *Druckauflage* aller Bücher der befragten Autoren beträgt 5460 (mit Taschenbüchern und Buchgemeinschaftsausgaben). Am häufigsten genannt wurde eine Druckauflage von 2000. Die *verkaufte Auflage* ist allerdings oft wesentlich geringer.

„Ein erfolgreiches Buch ist ein Buch, das zum Ausdruck bringt, was die Gruppe erwartete, ein Buch, welches der Gruppe ihr eigenes Bild offenbart."[36] Wie das Bild auch im einzelnen aussieht, das die großen Gruppen als ihr eigenes offenbart haben wollen: Es ist offenbar nicht das Bild, das der moderne Autor von ihnen hat oder ihnen vorgaukeln möchte. Die mögliche Bezugsgruppe Massenpublikum wird von diesen Autoren so gut wie übergangen. Die jungen Schriftsteller sind offensichtlich nicht bereit, sich zum Zweck der sozialen Integration den Forderungen des großen Publikums zu unterwerfen. Sie fühlen sich nur an einen Teil ihrer Bezugsgruppen gebunden und behandeln den weiteren Teil, das große Publikum, als Fremdgruppe. Sie lösen also das *Intrarollendilemma*, das durch die verschiedenartigen Erwartungen der einzelnen Bezugsgruppen bedingt ist, einfach dadurch, daß sie einen Teil ihres Beziehungsfeldes ausklammern, und zwar den Teil, von dem sie eigentlich ökonomisch abhängig sind.

Die negative Sanktion des Publikums besteht nun darin, daß es seine alphabetische Gabe andersweitig ausnützt, daß es den „modernen" Schriftsteller mit größtem Mißtrauen betrachtet und behandelt oder ihn ignoriert, keine Rollenerwartungen mehr stellt, kurz, ihn gesellschaftlich isoliert. Insofern kann man von *keiner echten Schriftsteller„rolle"* im Rahmen der Gesamtgesellschaft sprechen.

Um vom nur lesekundigen Deutschen – 32 % der Gesamtbevölkerung lasen während 12 Monaten kein Buch[37] – zum bücherlesenden überzugehen, der hauptsächlich in den höheren Bildungsschichten zu suchen ist: Die von den Autoren ausdrücklich hervorgehobenen Aufgaben der neuen Literatur – „Destruktion", „Aufklärung", „Veränderung",

---

[35] *G. Schmidtchen:* Lesekultur in Deutschland, in: Börsenblatt für den deutschen Buchhandel, 24. Jg., Nr. 70 (30. 8. 1968), S. 2074, Tab. 47.
[36] *R. Escarpit,* a.a.O., S. 116.
[37] *G. Schmidtchen,* a.a.O., S. 2035, Tab. 6.

„Innovation" – sind wohl nicht nach dem Geschmack des Durchschnittslesers, der im Rahmen einer allgemeinen Erbauung eher Konstruktion, Festigung, Bewahrung, Bestätigung sucht.

Frage 21 konfrontierte die Autoren mit den gängigen Vorwürfen gegenüber der neuesten Literatur. Erstaunlich ist die grundsätzliche Übereinstimmung aller Antworten. Das, was die an den „verwesenden Werten" hängenden Leser für negativ und provokativ halten, ist für den heutigen Autor nichts anderes als die Wirklichkeit, vor der er nicht die Augen schließt:

> „Die Literatur prellt an sich nur der gesellschaftlichen Entwicklung vor, der totalen Konsumbefriedigung, z. B. Sexualisierung. Die Gesellschaft wird in der Literatur beim Wort genommen; daß sie das nicht wahrnimmt, beweist, daß sie blind ist." (1)
>
> „Die Gesellschaft will Rezepte, Werte, Helden, die es in der Literatur nicht geben kann ... dahinter (hinter dem Verlangen nach höheren Werten) steckt die Verzweiflung, daß etwas uferlos ist. Er (der Leser) *möchte* etwas übersehen, er *will* Grundstock, *will* etwas Sicheres." (4)
>
> „Literatur ist nicht die Bestätigung dessen, was da ist, sondern ist auf der Suche. In einer Situation, wo alle gesellschaftlichen Kräfte darauf aus sind, sich zu etablieren und sich auszuruhen – in Hinsicht ihrer moralischen Vorstellung und ökonomischen Vorstellung – ist eine Literatur notwendig, die unmoralisch ist ..." (5)
>
> „Das Bisherige muß man radikal zerschlagen, die Werte, die nur noch verwesende Reste sind, um zu was Neuem zu kommen. Die Literatur ist viel positiver als das sogenannte Positive ... Gute Schriftsteller sind seismographische Apparate, die das Kommende spüren im Gegensatz zum guten Bürger, der sich in Sekurität wähnt und nichts verändern will." (8)
>
> „Die neuen Helden sind Antihelden. Wenn man das Vorfindbare in den gesellschaftlichen Verhältnissen nicht akzeptiert, muß das Konstruktive als destruktiv erscheinen. Das Destruktive hat Konstruktives in sich." (7)
>
> „Veränderung, die sich nicht im Bewußtsein der Leute durchgesetzt hat, muß von ihnen als negativ, obszön gesehen werden." (9)
>
> „Es gibt keine Werte; es ist positiv, den Mythos der Werte zu entlarven. Es muß mit den absoluten Werten aufgeräumt werden, um für die gegenwärtige Gesellschaft akzeptable Werte zu schaffen, die variabel sind. Provokation ist die Aufgabe jeder Kunst, Kunst ist Innovation." (11)
>
> „Die Literatur will zeigen, wie es ist: wenn die Sache beschissen ist, sind auch die Helden beschissen." (12)
>
> „Der Schriftsteller ist moralisch kein besserer und schlechterer Mensch als der Durchschnitt der Bevölkerung. Er schreibt eben nur das, was er genauer sieht, hört und wahrnimmt als andere. Deshalb kommt die Sittenverderbnis nicht von ihm, sondern von dem, was er sieht. Dazu kommt, daß die Schriftsteller hoffnungslose Moralisten sind, größere Moralisten als andere, und dauernd die Wirklichkeit der Gesellschaft an den Idealen und Utopien der Gesellschaft messen." (14)
>
> „Literatur hat sich nie mit dem Normalen beschäftigt, außer, das Verhurte, Sinnlose usw. hat sich als das Normale herausgestellt. Die Bezeichnung der Tabus als solche wird in der Gesellschaft für Verderbnis gehalten. Z. B. die entartete Kunst der Nazizeit:·der gleiche Vorwurf von einer Gesellschaft, die sich selbst kritisiert sieht. Sie sehen nicht, daß die Irren usw. sie selber sind." (15)

„Die Sinnlosigkeit, das Anarchische ist eine völlig angemessene Spiegelung der Gesellschaft, in der diese Literatur schreibt ... Die Autoren entgehen diesem Druck der Gesellschaft und leben das ‚freie' Leben in der Kneipe. Es gibt zwei Gründe dafür: einmal das Vordringen zum Ursprünglichen, Unvermittelten; dann die Spiegelung der totalen Entfremdung." (16)

„Ich habe von diesen Tendenzen noch nicht das Geringste gespürt. Das sind Vorwürfe von Leuten, die 50 Jahre zu spät angefangen haben, Bücher zu lesen. Der Schriftsteller kann nicht an ewige Werte glauben, sondern eher an Autobahnen usw." (19)

„Jeder Schriftsteller will die Welt verändern, auch der im elfenbeinernen Turm: durch Schönheit, Sprache ... Strahlende Helden hat es nie gegeben, das war immer eine Lüge. Der Schriftsteller ist immer auf der Seite der Außenseiter, der Irren, der Schwachen ... Heute besteht ein riesiges Vakuum durch das 1000jährige Reich. Es gibt keinerlei Voraussetzungen. Dadurch das große Erschrecken. Ein In-Frage-Stellen der Werte bedeutet Überprüfen der Werte. Goebbels hat dagegen eingeimpft, daß jede Kritik konstruktiv sein muß: Das sitzt noch tief." (22)

„Ja, es gibt diese Tendenzen. Einerseits, wohlwollend gesehen, als Spiegelbild, andererseits als Resignation, die vielleicht zu weit geht, und als Assimilationsstreben: Der Schriftsteller, der ursprünglich kritisch-negativ seinen Erscheinungen gegenübersteht, betrachtet sie so lange, bis er sie schön findet, um nicht so leiden zu müssen." (23)

„Durch Zerstörung der üblichen heiligen Werte wird der Mensch auf seine normalen Grenzen reduziert – man läßt sich nichts mehr vormachen, läßt sich nicht mehr durch gesellschaftliche Positionen blenden, man erkennt den Menschen hinter seiner Fassade." (24)

„Sophokles, Shakespeare, Werther, Dostojewski sind zu ihrer Zeit ‚zersetzend' gewesen, d. h. problematisch, sie stellten die Wertsysteme in Frage. Erst wenn die Schriftsteller museal werden, glaubt man, man kann ewige Weisungen aus ihnen herauslesen. Es ist eine Einbildung, daß Literatur Gemeinschaftswerte manifestiert." (26)

„Ein wesentliches Merkmal der Kunst ist Originalität, etwas Neues. Daher ist sie immer in Konflikt mit den nachhinkenden Moralvorstellungen." (27)

„Die Interessantheit eines Helden nimmt mit seiner Positivität ab. Es ist langweilig, wenn er siegt, ausstrahlt usw. Interessant ist der Zweifler. Nur der negative Held kann Stoff sein." (30)

Und zum Schluß:

„Diese Tendenz gibt es nicht. Die Leute erliegen dem Schein, die konservativen Kulturkritiker. Auch der zersetzendste Held ist heute dermaßen affirmativ. Ich sehe keinen Unterschied zwischen den Helden von oberbayrischen Heimatromanen und Oskar ... Dabei ist Grass der Protagonist des Zersetzenden. (Was verstehen Sie unter zersetzender Literatur?) Es geht nicht auf dem Wege des Nein, sondern nur Bejahung. Das Ganze muß über die Bejahung, auf die die Leute Wert legen, in Nichts hinaustorpediert werden. Dann schaffen wir die Verhältnisse, die wir wollen. Z. B. man fordert ganz brutal die Unterdrückung der Frau; sie wird geprügelt, vergewaltigt, sozialisiert. Das finden die Leute dann gräßlich." (3)

Es läßt sich nicht bestreiten, daß die jungen Schriftsteller in ihrem eigenen literarischen Bereich eine *Kontrakultur* – welcher Spielart auch immer – ausgebildet haben, die, wie sich zeigen wird, auch auf ihre sozialen Ideologien übergreift.

J. M. Yinger hat das Konzept der Kontrakultur geklärt[38]: Im Unterschied zur Subkultur – eine Gruppe innerhalb der Gesamtgesellschaft vertritt ein System eigenständiger Normen, die mit denen der Gesamtgesellschaft nichts zu tun haben – entwickelt die Kontrakultur in dauernder Beziehung zur Hauptkultur *Gegenwerte*, Antihaltungen, die als die Negationen der gesamtgesellschaftlichen Werte verstanden werden müssen. Yinger erklärt die Entstehung von Kontrakulturen mit den Frustrationen ihrer Vertreter, herrührend aus Rollenunsicherheit und Statusverweigerung durch die Gesellschaft.

H. Marcuse mißt das „authentische Kunstwerk" im Gegensatz zur „Pseudokunst" an dessen kontrakulturellen Eigenschaften: „Die Kunst steht gegen die Geschichte, leistet ihr Widerstand, einer Geschichte, welche stets die der Unterdrückung gewesen ist; denn die Kunst unterwirft die Wirklichkeit Gesetzen, die andere als die etablierten sind: den Gesetzen der Form, welche eine andere Wirklichkeit hervorbringt – die Negation der etablierten selbst dort, wo Kunst die etablierte Wirklichkeit abschildert."[39] Dieser Satz entspricht dem künstlerischen Selbstverständnis der Schriftsteller. Die Erfüllung einer solchen Kontrakultur ist gleichzeitig die Bedingung einer hohen Anerkennung des Autors innerhalb der künstlerischen Spezialistengruppe.

Daß das Entstehen einer *Kontrakultur* überhaupt möglich ist, liegt wohl, wie *Watson* in bezug auf moderne Maler feststellt[40], an der geringen sozialen Kontrolle, der die Künstler unterworfen sind. Das ist wieder ein Hinweis auf die gesellschaftliche Isolierung des Künstlers; denn mit zunehmender sozialer Isolierung nimmt die soziale Kontrolle ab, oder umgekehrt: ein Freistellen von sozialer Kontrolle isoliert.

6. Der Konflikt zwischen Berufs- und Schriftstellertätigkeit

Oben wurde das Intrarollendilemma der Schriftsteller angedeutet, das auf die unterschiedlichen Erwartungen seiner potentiellen Bezugsgruppen zurückzuführen ist. Es wurde offenbar, daß man nur mit Vorbehalten von einer gesamtgesellschaftlichen Schriftsteller„rolle" sprechen kann, da sie von einer ihrer Bezugsgruppen, dem größeren Publikum, getrennt ist. Sie lebt als „Gruppenrolle" nur von den Erwartungen der Eigengruppe. Insofern ist auch der Interrollenkonflikt des *berufstätigen* Schriftstellers nicht nur ein Konflikt zwischen unterschiedlichen Rollenerwartungen, sondern auch ein Konflikt zwischen sozial verschiedenartig fundierten Rollen.

Der Widerspruch zwischen Dichterexistenz und bürgerlichem Beruf ist beileibe nicht neu. Die Literaturgeschichte registriert seit der Mitte des 18. Jahrhunderts die Klagen solchermaßen zwiefach beschäftigter Autoren. *G. Linz* bestätigt diese Rollengegensätze für ältere zeitgenössische Autoren[41]. Aus einem etwas anderen

[38] *J. M. Yinger:* Contraculture and Subculture, in: American Sociological Review, Bd. 25/1960, S. 627 ff.

[39] *H. Marcuse:* Repressive Toleranz, in *R. P. Wolff, B. Moore, H. Marcuse:* Kritik der reinen Toleranz, Frankfurt 1968, S. 100.

[40] *B. A. Watson,* a.a.O., S. 48.

[41] *G. Linz,* a.a.O., S. 206.

Aspekt sieht *Wilson* den Konflikt: „Es gibt einigen Grund zu glauben . . . daß der Künstler ein lebenslanges (nicht nur auf die Jugendzeit beschränktes) Problem darin hat, die Erfordernisse des gesellschaftlichen Umgangs gegen die seines privaten Handwerks auszubalancieren."[42]

Anhand verschiedener Anhaltspunkte (Interviewfragen 4, 5, 25) kann der Interrollenkonflikt zwischen Beruf und schriftstellerischer Arbeit bestätigt werden. 10 der 13 berufstätigen Autoren würden ihren Beruf sofort aufgeben, wenn sie allein von ihrer schriftstellerischen Arbeit leben könnten[43]. Gründe dafür sind die starke Beanspruchung durch den Beruf, Zeitmangel („Literatur ist kein Feierabendhobby!"), der dauernde Zwang zur Interaktion.

Ein weiterer Anhaltspunkt ist gegeben: 10 der berufstätigen Schriftsteller trennten bei der Selbsteinordnung in ein vorgegebenes Schichtmodell (Frage 25) ihren Beruf von ihrer literarischen Betätigung und plazierten beide Beschäftigungen an verschiedenen Orten (wobei die meisten den Schriftsteller „außerhalb der Gesellschaft" sahen; diese wichtige Tatsache wird unten im Zusammenhang mit den freien Autoren betrachtet). Es ergibt sich bei dieser Selbsteinordnung eine bemerkenswerte *Statusinkonsistenz,* ein Zeichen des Widerspruches oder auch der Beziehungslosigkeit zwischen literarischer Tätigkeit und Beruf.

Zur Verdeutlichung und genaueren Fixierung dieser Tatsache können die Antworten aller 30 Befragten auf Frage 5 herangezogen werden. Es zeigt sich, daß zwischen literatur*fernen* Berufen und der literarischen Tätigkeit überhaupt keine Beziehungen gesehen werden; sie harmonieren nicht miteinander, widersprechen einander aber auch nicht. Sie haben, abgesehen davon, daß literaturferne Berufe unnötig viel Zeit und Nerven kosten, einfach nichts miteinander zu tun — und müssen dennoch in einer Person vereinigt werden.

Dagegen herrscht keine Einigkeit über das Verhältnis der literatur*nahen* Berufe zur Schriftstellertätigkeit. 6 Autoren (3 freie, 2 literaturnah, 1 literaturfern beschäftigter) hielten diese Tätigkeiten für vereinbar. 11 (darunter 8 freie) sahen einen starken Widerspruch — auch aus der Überzeugung oder Erfahrung heraus, daß der berufsmäßig erzwungene Umgang mit Literatur der eigenen Schöpferkraft und dem eigenen Schreibbedürfnis abträglich ist.

Walter Jens hält es für notwendig, daß jüngere Schriftsteller Berufe haben:

„Er (jedenfalls der junge Schriftsteller) muß einen Beruf haben, und zwar einen möglichst praktischen Beruf, einen, der der Schreibtischarbeit nicht zu ähnlich ist (wie Lektor oder Journalist) . . . Nur der Beruf gibt dem Schriftsteller jene Existenzgrundlage, die er sich durch sein Schreiben nicht verdienen darf. Zugleich

---

[42] *R. N. Wilson,* a.a.O., S. 96/97.
[43] Das gilt auch für den amerikanischen Schriftsteller; s. *W. J. Lord,* a.a.O., S. 291.

aber gibt der Beruf ihm allein die Möglichkeit, sich am Leben zu reiben und die Wirklichkeit handelnd und leidend zu durchdringen . . ."[44].

Die befragten Autoren dagegen geben nichts auf solche Forderungen; sie halten den Beruf keineswegs für einen Ausgangspunkt und eine realitätsvermittelnde Grundlage des Schreibens. Für das „bißchen Füllmaterial", das er eventuell liefert, das sie sich aber genausogut anderswo holen können, ist niemand bereit, frustrierende Widersprüche zwischen Berufs- und Literatenrolle auszutragen.

Man könnte vielleicht meinen, daß es für Schriftsteller außer dem ökonomischen ein weiteres starkes Motiv gibt, einen Beruf zu übernehmen. Als *Gegengewicht* gegen seine soziale Funktionslosigkeit und Statuslosigkeit könnte der Künstler ein Verlangen nach einer *allgemein anerkannten Rolle* haben, die ihm Statusgewißheit, positionsbedingtes Sozialprestige, eine anerkannte Funktion und organisatorisch – institutionell begründete Verhaltenssicherheit verschafft.

„. . . Rollenvielfalt schafft offensichtlich ein Gegengewicht . . . gegen die entfremdenden Kräfte . . ." schreibt *D. Nash* in Hinblick auf amerikanische Komponisten[45], und *König* und *Silbermann* gehen noch weiter, wenn sie darauf hinweisen, „daß die Tatsache des Nebenberufes – dieses oberflächliche Kriterium für vermeintliche Unselbständigkeit – nicht einfach wirtschaftlich betrachtet werden kann, sondern – weit umfassender – einer Unzufriedenheit des Künstlers mit seiner sozialen Rolle in der heutigen Gesellschaft entspringt. Hier ist die tiefliegende Ursache zu suchen, die nach Anpassung, besser noch nach einer Neuorientierung verlangt, die dadurch erreicht wird, daß der Künstler eine *Rollenvielfalt* entwickelt, die nur denjenigen Kulturkritikern zum Anstoß gereicht, die nicht sehen können oder wollen, daß die effektive soziale Konditionierung des Kunstwerks an der Quelle, beim Künstler selbst beginnt. Wir möchten gar so weit gehen und sagen, daß erst im Augenblick, in dem der Künstler andere berufsmäßige Rollen in seine Existenz miteinbezieht (z. B. Komponist und Lehrer; Schriftsteller und Dramaturg; Maler und Formgeber usw.), er eine vielseitige Persönlichkeit darstellt, d. h. für uns, daß er sozialisiert ist"[46].

König und *Silbermann* machen mit der Forderung nach der *Rollenvielfalt* eine Rechnung auf, die vom Künstler kaum getragen werden kann. Die Rollenvielfalt ist dem Künstler in unserer Gesellschaft so lange nicht zuzumuten, als sie für ihn offensichtlich eine ausgesprochene Spannungssituation darstellt, die keineswegs seine Produktivität fördert. Soll das der Ausweg für den Künstler sein? Soll er diese schwer erträgliche Situation auch aus anderen als wirtschaftlichen Gründen zu seiner Existenz machen? Anstatt dem Künstler (und einigen Kulturkritikern) eine Neuorientierung anzuraten, wäre die Soziologie gehalten, zuerst die gesamtgesellschaftlichen und kulturellen Bedingungen herauszuarbeiten, die dem freien Künstler die Rollenunsicherheit einbringen. Und dazu wäre

---

[44] *W. Jens,* in: „Welt am Sonntag" vom 19. 7. 1953, zitiert bei *G. Linz,* a.a.O., S. 160, Anm. 20.
[45] *D. Nash:* The Alienated Composer, in: *R. N. Wilson,* a.a.O., S. 48.
[46] *R. König* und *A. Silbermann,* a.a.O., S. 62.

weniger zu fragen: Was müßte der Künstler tun, damit er einen gesellschaftlichen Stellenwert erhält, sondern: Was müßte in der Gesellschaft geschehen, damit der Künstler, wie er heute tätig ist, mit seiner Rolle einverstanden sein kann?

Der Beruf als Gegenkraft gegen die soziale Entfremdung und vermeintliche Sozialisationsdefizite der Künstler kann nach Meinung der Autoren die Spannungen und Konflikte nicht aufwiegen, die sich aus der Konfrontation zwischen der literarischen Tätigkeit und der Ausübung eines Berufes ergeben. Die Kosten für eine Übernahme von allgemein anerkannter Funktion und Status erscheinen zu hoch. Dazu kommt die Abneigung gegen die Ausformung einer festgefahrenen „Gewohnheitsapparatur" im Menschen, gegen ein inneres und äußeres „Establishment", ein Begriff, der schon, als er noch nicht in aller Munde war, zum negativen Bezugsrahmen der schriftstellerischen Kontrakultur gehörte und, wie sich zeigen wird, eine große Rolle bei den Ideologien spielt. Das einzige Motiv zur Übernahme eines Berufes bleibt das ökonomische, nämlich „reiner Gelderwerb". Aber: Wenn der *Beruf* auch erzwungenermaßen ausgeübt wird und ein Angestelltenstatus nur ungern angenommen wurde, so bleiben sie dennoch eine *potentielle Kraft*, die die Gesellschaftsbilder und Ideologien dieser Autoren spezifisch prägen können.

7. Der soziale Standort

Noch ist die Frage, ob Schriftsteller gesamtgesellschaftlich isoliert sind, empirisch unbeantwortet, wenn auch die bisher festgestellten Charakteristika ihrer sozialen Situation als Hinweise dafür gelten können. Im folgenden wird die Frage der sozialen Isolierung, wie sie sich aus dem Blickpunkt der Autoren darstellt, genauer untersucht. Erst aber sollen, von einer ganz allgemeinen Warte aus, die Eigenheiten des Schriftstellerdaseins, die innerhalb der modernen westlichen Gesellschaften zu seiner Isolierung beitragen können, kurz zusammengefaßt werden.

a. Der Künstler in der Gesellschaft

Das Schlagwort *Utilitarismus* muß genügen, einen Grundzug der modernen Industriegesellschaft zu kennzeichnen, der sich als Denk- und Verhaltensnorm erweist. „Instrumentaler Aktivismus" bestimmt fast das gesamte Handeln innerhalb dieser Gesellschaft. Dieser Norm widerspricht die augenscheinliche Nutzlosigkeit der künstlerischen Produktion.

„. . . (der Künstler) macht sich eines . . . Verbrechens schuldig, und zwar eines solchen, das ihn mit aller Entschiedenheit in Gegensatz zur amerikanischen Art bringt: Seine Anstrengungen haben keinen offensichtlichen Nutzen. In dieser Hinsicht ist er ein größerer Abweichler als der Gangster, dessen Rolle letzten Endes einen objektiven Nutzen für ihn selbst hat, indem sie ihn reich macht, bevor sie ihn umbringt."[47]

Der Schriftsteller verfolgt keine allgemein anerkannten Ziele und gebraucht keine allgemein anerkannten Mittel. Im Funktionssystem der modernen *„Leistungs"gesellschaft* ist ihm kein Platz reserviert. Seine einsame artistische, scheinbar ziellose Aktivität sondert ihn von der „job-work-success-Gesellschaft"[48] ab. Die dominanten Mittelschichtswerte der westlichen Industriegesellschaft — Konformität, Achtbarkeit, Pragmatismus, soziale Sicherheit — stehen dem künstlerischen Ethos antithetisch gegenüber[49]. Zunehmende Bürokratisierung und die weitgehende Institutionalisierung der Lebensweise sind mit dem Anspruch nach künstlerischer Freiheit und Spontaneität schlecht vereinbar. Der Künstler entzieht sich der sozialen Kontrolle, er schafft nicht gemäß den normativen Erwartungen der sozialen Umwelt und profitiert damit auch nicht von ihrem Status- und Belohnungssystem.

Sollte ein Künstler dennoch einmal „Erfolg" haben, so kann er nach *Geiger* sicher sein, daß „seine öffentliche Glorie . . . von jeglichem Verständnis des Publikums für den Eigenwert der Leistung unabhängig ist"[50]. Und *James Baldwin* stellt fest, er schreibe „in einem Land, das meint, es sei wichtiger, ein Erfolg zu sein, als ein Künstler zu sein"[51].

Der Künstler, nach *Adorno* ein „anachronistischer Heimarbeiter"[52], kann im Gegensatz zum Großteil der Berufstätigen die Berufssphäre nicht von der Freizeitsphäre trennen. Das ist, abgesehen davon, daß Schreiben häufig sowieso nicht als Arbeit betrachtet wird, u. a. der Grund für das weitverbreitete Vorurteil, daß Schriftsteller „nichts tun", daß die Dichter bis zum Mittag im Bett liegen, andauernd spazierengehen, in Lokalen hocken usw. In diesem Zusammenhang sei folgendes erwähnt: Vielfach stellen die Schriftsteller Gegenwerte gegen die vorherrschenden sozialen Werte und Verhaltensformen auf; aber keiner der Befragten meldete einen Widerspruch gegen den Wert „Arbeit" an. Sie beanspruchen ausdrücklich, wie „jeder andere zu arbeiten", nur eben etwas anderes, und wünschen, daß die Zeit, in der sie augenscheinlich nichts tun, als notwendige Vorbereitungs- und Besinnungszeit in den schriftstellerischen Arbeitsbegriff mithineingenommen werde.

---

[47] *R. N. Wilson,* a.a.O., S. 17.
[48] *G. Pelles:* Art, Artists and Society, Englewood Cliffs 1963, S. 78. Pelles verfolgt die stetig zunehmende soziale Entfremdung der englischen und französischen Maler ab 1750, die bis heute anhält.
[49] *M. Griff,* a.a.O., S. 80.
[50] *Th. Geiger:* Aufgaben und Stellung der Intelligenz in der Gesellschaft, Stuttgart 1949, S. 160.
[51] Zitiert bei *A. Alvarez:* Under pressure. The Writer in Society, Penguin Books 1965, S. 158.
[52] *Th. W. Adorno:* Der Artist als Statthalter, in: Noten zur Literatur I, Frankfurt 1958, S. 185.

34

Schon *Adam Smith* rechnete die Intellektuellen zur Klasse der unproduktiven Arbeiter. Der „Gesang des Sängers, der in nichts zerfließt", schien ihm das geeignete Beispiel zur Charakterisierung geistiger Arbeit zu sein. *Robert Michels* referiert ihn so: „Diese Produkte zerstören sich im Augenblick ihrer Produktion selbst, und nichts Konkretes bleibt übrig, mit dem diejenigen, die diese Leistung mit barem Geld bezahlt haben, sie weiter marktmäßig gegen einen gleichen Arbeitswert Dritter umzusetzen vermögen."[53]

Die sozialökonomische Aktivität wurde zur Aktivität schlechthin, und „wirtschaftlich gesehen hat eine Ware, die sich nicht auf dem Markte halten kann, keinen Wert und darf ganz einfach nicht weiter erzeugt werden. Der Marktmechanismus sorgt selbständig für die richtige Auslese"[54]. Das ist die allgemeine Überzeugung. In einer solchen „verdinglichten Gesellschaft", in der „die Tätigkeit ausschließlich auf Tauschwerte, d. h. auf quantitative, degradierte Werte hinorientiert ist"[55] und der eigentlich vermittelnde Wert, das Geld, zum absoluten Wert erhoben wurde, fürchtet *Goldmann* um das gesamte Kulturschaffen: „Einige schöpferische Menschen, deren Bewußtsein wesentlich auf die Qualität ihrer Erzeugnisse, d. h. auf ihren Gebrauchswert, hinorientiert ist, werden gerade deswegen zu Außenseitern und Randgestalten des gesellschaftlichen Lebens . . ." „In der marktorientierten Gesellschaft sind Schriftsteller kritische, im Gegensatz zur Gesellschaft stehende Gestalten."[56]

Ein weiterer Faktor sei erwähnt: Die künstlerische Verinnerlichung, der intensive Umgang mit sich selbst, die Weigerung, sich anzupassen, führen zu den bekannten Vorwürfen, daß Künstler exzentrisch, hemmungslos, psychopatisch usw. seien. Hinzu kommt die verbreitete Angst vor dem schöpferischen Individuum, das immer eine Bedrohung der bestehenden Normen war, das in seinen Werken die uns selbstverständliche Art des Sehens, Begreifens und Ausdrückens mißachtet und herausfordert[57].

Die Merkmale der modernen westlichen Gesellschaft, die sich im institutionalisierten Wert- und Normsystem widerspiegeln, können den Schriftsteller in die Stellung des „*marginal man*" drängen. Es soll deshalb untersucht werden, ob sich diese ausgeprägte Tendenz in den Antworten der Befragten bestätigt. Davor aber steht noch die Frage, ob der Schriftsteller sich überhaupt sozial belangt und determiniert fühlt.

b. Das Bewußtsein gesellschaftlicher Determination

Im 19. Jahrhundert entstand das Bild des Künstlers, der in absoluter geistiger Freiheit und völliger sozialer Ungebundenheit seine einzigartige künstlerische Individualität intuitiv verwirklicht. Das Genie hat sich freigemacht von jeder sozialen Bestimmung und schafft ganz aus seiner Individualität. Hat sich ein solches Selbstimage des Künstlers vielleicht bis heute gehalten?

[53] *R. Michels:* Zur Soziologie der Boheme und ihrer Zusammenhänge mit dem geistigen Proletariat, in: Jahrbücher der Nationalökonomie und Statistik, Bd. 136/1932, S. 810.

[54] Wiedergegeben bei *Th. Geiger*, a.a.O., S. 112.

[55] *L. Goldmann:* Zur Soziologie des Romans, in: *N. Fügen* (Hrsg.): Wege der Literatursoziologie, Neuwied, Berlin 1968, S. 199.

[56] Ebd., S. 199 und 210.

[57] *R. N. Wilson,* a.a.O., S. 13.

Die modernen Sozialwissenschaften haben eindringlich klargestellt, daß sich der Mensch nur als sozial Teilhabender selbst verwirklichen kann. Die früher mit Inbrunst ausgeschlachtete Antinomie zwischen Individuum und Gesellschaft ist der Einsicht gewichen, daß „beides nur Anblicke eines einzigen entwickelnden Ganzen seien", daß das „Erleben des Ichs" mit dem „Gesamterleben des geschlossenen Kreises" sozial verschränkt ist[58]. Einerseits begrenzt menschliches Zusammenleben die individuelle Freiheit, andererseits macht es diese Freiheit erst möglich: „Erst durch das Aufwachsen in einer menschlichen Umwelt erfährt der Mensch von den verschiedenen Möglichkeiten der Lebensgestaltung, und erst durch die Berührung und Auseinandersetzung mit dem Handeln und Denken anderer Menschen erschließt sich dem einzelnen die Vielfalt der Alternativen. Das ist das Doppelgesicht der Gesellschaft, daß sie Freiheit schafft und begrenzt."[59] Diese Betrachtungsweise soll nicht den Blick dafür verstellen, daß auch jede „offene" Gesellschaft der Tendenz nach eine Gesamtheit institutionell gesicherter Vorentscheidungen ist, für die und keine anderen sie die Freiheit schafft bzw. über die hinaus sie im besten Falle nur theoretische Alternativen gestattet.[60]

Bei den heutigen jungen Schriftstellern sind die Überzeugungen und Ansprüche des künstlerischen Individualismus einer realistischeren Betrachtungsweise gewichen. Nur zwei der Befragten halten sich für völlig unabhängig von ihrer sozialen Umwelt. 27 gestehen ihr einen großen Einfluß auf die Persönlichkeit, auf ihre Ziele und ihr tägliches Verhalten zu, wobei das begrenzende Moment stark hervorgehoben wird (Einer wußte auf Frage 20 nichts zu sagen.):

„Ich würde von totaler Beeinflussung sprechen . . . der Glauben an eine Unabhängigkeit von gesellschaftlichen Institutionen ist illusionär." (1)
„Das ist eine doppelte Gebundenheit: 1. bin ich bis zu einem gewissen Grad determiniert. Das betrifft sämtliche Lebensweisen . . . 2. gibt es eine selbst auferlegte Determiniertheit. Wenn ich wirken will, muß ich die Verhältnisse berücksichtigen, um sie aufheben zu können." (3)
„Es ist ein starker Einfluß da, niemand ist unabhängig; sie schreiben mir vor, was ich anzuziehen habe, wie ich zu leben habe, alles." (13)
„. . . der gesellschaftliche Einfluß besteht auch in dem, was man seinen Anteil am ‚Volkscharakter' nennt. Ich bin ein Produkt unserer Gesellschaft und der Gesellschaft der letzten Jahre." (26)
„Es ist eine tägliche Erfahrung, die krassen Umwelteinflüsse auf den einzelnen . . . auch auf mich . . . Es gibt niemand, der von seiner Umwelt nicht geprägt ist . . . je mehr Kontakt desto mehr Ausrichtung." (27)
„Ich bin keine Einzelperson gegen die Gesellschaft. Jeder hat die gleichen Schwächen wie die Gesellschaft." (30)

Alle diese Autoren hoffen und versuchen, sich ein *kleines Reservat der sozialen Unabhängigkeit* bewahren zu können. Einerseits vermuten sie, daß der Einfluß oberhalb eines bestimmten Alters (25 bis 30) abnimmt, „dann hat man sein Thema mitbekommen", andererseits gebrauchen sie

[58] Vgl. *R. König* (Hrsg.): Soziologie (Fischerlexikon Neuausgabe), Frankfurt 1967, S. 103.
[59] *K. M. Bolte, K. Aschenbrenner:* Die gesellschaftliche Situation der Gegenwart, Opladen 1963, S. 23.
[60] S. dazu *H. Marcuse*, a.a.O., z. B. S. 97.

den vorsichtigen Ausdruck, daß es auch für sie „keine totale Unabhängigkeit" gibt:

„Keinesfalls unabhängig. Es bedarf einer täglichen Anstrengung, um sich gegen die tägliche Beeinflussung abzuschirmen. Man nimmt die Kollektivbeeinflussung häufig gar nicht bewußt wahr." (18)
„In gewisser Hinsicht bin ich unabhängig. Das hängt mit meinem Beruf zusammen, dem utopischen Beruf des Schriftstellers." (11)

Der Schriftsteller kennt den sozialen Einfluß, anerkennt und verflucht ihn gleichzeitig und versucht dabei, sich einen sozial nicht verstellten Raum zu halten.

Das nächste Zitat, das für 3 der Befragten spricht, geht einen Schritt weiter:

„Der Einfluß der Mitwelt ist sehr stark, auf subtile Weise; aber ich forme mich als deren Gegenbild, nicht als ihr Bild." (17)

Hier erscheint auch das Reservat als sozial determiniert, wenn auch mit „asozialem" Ergebnis. Der Individualismus besteht hier in der Freiheit, die Gesellschaft als negativen Bezugsrahmen zu nehmen.

Die jungen Schriftsteller glauben, sich des starken sozialen Einflusses bewußter zu sein als andere Leute. Das läßt sich aus fast allen Antworten herauslesen. (Z. B. auch aus den Andeutungen, daß der Umwelteinfluß sich in trivialen Dingen weitaus stärker bemerkbar macht als in „den großen Dingen", an denen nur wenige partizipieren.) Einige sprachen es deutlich aus, etwa:

„Der Einfluß ist normalerweise immens groß, allein durch die Sprache. Persönlichkeiten sind Gefäße, die die Umwelt füllt. Eigene Persönlichkeiten sind sehr selten. Ich bin zwar nicht völlig unabhängig, aber unabhängiger als 99 % der anderen." (15)

Hier finden sich die letzten Anklänge an das nachromantische Künstlerselbstbild der außerordentlichen, einmaligen Persönlichkeit. Die Schriftsteller glauben also nicht mehr, daß sie über jeden sozialen Einfluß erhaben sind, sondern *wissen,* daß sie abhängig sind. Und dieses Wissen ist es, das sie wiederum relativ unabhängig macht:

„Der Einfluß ist ganz stark: je weniger sich einer darüber klar ist, desto stärker ist er." (28)

Als Schnittpunkt verschiedener Einflüsse fühlen sie sich „dem Sozialen" zugehörig. Dieses Ergebnis ist wichtig bezüglich der Annahme, daß Schriftsteller keinen sozialen Standort haben. Denn es ist ein großer Unterschied, ob das Gefühl sozialer Standortlosigkeit auf einer konsequent individualistischen Attitüde beruht, die den Betreffenden aus jeder Gesellschaftlichkeit herausnimmt, oder ob dieses Gefühl sich beruft auf bestimmte Merkmale einer historischen, der heutigen Gesellschaft. Eine von vornherein „sozial-ignorante" Einstellung ergab sich nicht: *Wenn der heutige jüngere Schriftsteller sich trotzdem außerhalb der Gesellschaft sieht, so meint er hier die gegenwärtige westdeutsche Gesellschaft, die für ihn keinen sozialen Ort bereithält, bzw. deren soziale Angebote er nicht annehmen will.*

c. Selbsteinordnung und vermutete Fremdeinordnung in die soziale Hierarchie

Der erste Teil der der Arbeit zugrunde liegenden Hypothese unterstellt, daß Schriftsteller gesamtgesellschaftlich isoliert sind. Bis jetzt ergab der deskriptive Überblick über die soziale Situation des Schriftstellers eine Reihe von Situationsmerkmalen, die auf eine solche gesellschaftliche Isolierung hinweisen. Die Fragen nach der sozialen Selbsteinordnung des freien und berufstätigen Schriftstellers und nach der von ihm vermuteten Fremdeinordnung sollen den ausschlaggebenden Indikator zur Prüfung des ersten Teils der Hypothese liefern. Selbst- und vermutete Fremdeinordnung werden hier hauptsächlich formal behandelt. Es geht im besonderen darum, *ob* der Autor sich als Schriftsteller und gegebenenfalls seinen Beruf in ein selbst gewähltes oder ein vorgegebenes Abstufungsmodell einstuft (Selbsteinordnung) und sich von der Gesellschaft für eingestuft (vermutete Fremdeinordnung) hält. Wohin er sich, falls überhaupt, einordnet, ist dabei von sekundärem Interesse.

Die Selbsteinordnung ins eigene Abstufungsmodell

Von den 30 Autoren wußten 27 keinen Ort anzugeben, den sie als *Schriftsteller* innerhalb ihrer eigenen gesamtgesellschaftlichen Schichtvorstellung einnehmen. Die Feststellung muß präzisiert werden: 10 von ihnen hatten angesichts der Komplexität der sozialen Verhältnisse keine gesamtgesellschaftliche Statusgruppenvorstellung, d. h., sie konnten keine bestimmten Schichten oder Klassen begrifflich genau umgrenzen und auch keine Schichtzahl angeben. („Heilloses Durcheinander", „keine durchgehenden Schichtmerkmale" usw.) Sie nannten nur verschiedene mögliche Ordnungskategorien (Einkommen, Macht, Prestige, Beruf), ohne sie in eine irgendwie geartete Ordnung zu bringen. Das hängt auch mit der eher *persönlichkeitsbestimmten* als positionsbestimmten Betrachtungsweise der Autoren zusammen, deren Schriftstellerstatus ja selbst persönlichkeitsbestimmt ist:

„Für mich gibt es nur die Unterscheidung schöpferisch—nichtschöpferisch, was nicht auf Künstler beschränkt ist. Schöpferisch bedeutet ‚machen', nichtschöpferisch bedeutet ‚konsumieren'." (2)

„Mich interessieren Persönlichkeiten, nicht Berufe. Ein Gastwirt kann eine Persönlichkeit sein, ein Professor braucht es nicht zu sein." (18)

17 Autoren nahmen sich ausdrücklich aus ihrem eigenen Statusgruppenmodell heraus, und zwar in verschiedener Weise. 10 von ihnen, hauptsächlich Vertreter eines marxistischen Zweiklassenmodells, ordneten sich einer „*neuen Klasse*" zu, die in den gesamtgesellschaftlichen Klassenaufbau nicht eingepaßt ist:

„Daneben (neben Bourgeoisie und Proletariat) gibt es noch eine neue Klasse, die Intellektuellen, Studenten, die materiell kaum Anteil haben, die so bindungslos sind, daß sie es sich leisten können, zu kritisieren. Sie sind der Unruhefaktor, die Avantgarde. Die haben den Status quo längst überholt." (8)

„Es gibt (neben 3 Hauptklassen) eine vierte Klasse, einen Stand – kann man aber nicht als Klasse, Stand bezeichnen, weil er seiner Existenz nach eine klassenlose Gesellschaft voraussetzt ... Wirtschaftlich gehören wir zu den Besitzlosen. Die neue Klasse weist utopische Strukturen auf, weist auf die klassenlose Gesellschaft hin. (Nachfrage: Wer gehört dazu?) Als ein Hinweis: Gammler, Beatniks." (3)

Am häufigsten wurde die „neue Klasse", die nicht in die Gesellschaft integriert ist, als „die Intellektuellen" bezeichnet.

Die anderen 7 Autoren, die sich aus ihrem Abstufungsmodell herausnehmen, geben noch kein neues Klassenbewußtsein einer utopischen Sozialkategorie zu erkennen:

„Schriftsteller und Maler sind Berufe, die außerhalb der herkömmlichen Schichten liegen." (18)
„Die Schriftsteller sind freigestellt von der Gesellschaft." (19)
„Der Schriftsteller ist im uralten, direkten Sinn asozial." (20)
„Als Schriftsteller kann man sich keiner bestimmten Klasse zurechnen." (16)
„Der Schriftsteller befindet sich in einem freiwilligen Außenbezirk." (21)

Nur 3 der 30 Autoren gaben sich einen sozialen Status innerhalb der vorgestellten Statushierarchie, und zwar alle in der unverfänglichen Mitte.

Bis jetzt war nur von der Selbsteinordnung des Schriftstellers als Schriftsteller die Rede. Wie steht es mit den *Nebenberufen?* Alle berufstätigen Autoren zeigten sich grundsätzlich bereit, ihrem Nebenberuf einen bestimmten, allgemein anerkannten Stellenwert zuzusprechen, wenn sie auch zum Teil nicht fähig dazu waren, ihn im eigenen vagen Schichtmodell genauer zu bezeichnen. Diese grundsätzliche Bereitschaft, die anhand des *vorgegebenen* Schichtmodells zur Fähigkeit wird, offenbart, daß die Autoren sich in ihrer funktionsträchtigen Berufsrolle in das gesellschaftliche Ganze potentiell integriert sehen.

Die Selbsteinordnung ins vorgegebene Schichtmodell

Man kann annehmen, daß ein Gesellschaftsmitglied, dem ein (vermutlich nicht ganz unbekanntes) Schichtmodell[61] zur Selbsteinordnung vorgelegt wird, dieses Modell nach den von ihm selbst für ausschlaggebend gehaltenen Schichtkriterien interpretiert, es dementsprechend ausfüllt und sich dementsprechend einordnet. In unserem Zusammenhang interessiert wiederum besonders die Frage, *ob* der Schriftsteller sich einordnet, ob er bereit ist, irgendein institutionalisiertes Schichtkriterium auch auf seine Person anzuwenden.

Man könnte einwenden, daß sich vielleicht deshalb jemand nicht in ein vorgelegtes Schichtschema einordnet, weil es seiner Meinung nach dem wirklichen

[61] S. Fragebogen im Anhang, Frage 25.

Schichtaufbau nicht adäquat sei. Hier war das offensichtlich nicht der Fall. Kein Autor verweigerte eine Selbsteinstufung mit dieser Begründung. Umgekehrt liegt sogar die Vermutung nahe, daß die Vorgabe eines Modells eine Einladung, sich einzuordnen, enthält, die nicht so leicht ausgeschlagen wird.

Die Begründung der 15 Autoren, die sich *nicht* einordneten, lautete durchweg: „Der Schriftsteller steht außerhalb der Gesellschaft; er steht gesellschaftlich nirgendwo; ist Außenseiter; gehört nicht dazu; ist sozial unidentifiziert."

Die 15 Befragten, die sich einordneten, müssen näher betrachtet werden: 3 von ihnen taten es mit der Bemerkung: „Ja, wenn Sie das Einkommen meinen!" Offensichtlich kennen die Schriftsteller dieses üblicherweise höchst statusrelevante Kriterium, wissen auch, daß sie von außen vielleicht nach diesem Merkmal eingeschätzt werden, lassen es aber nicht für sich selbst gelten:

„Ich rechne mich zu gar keiner Schicht. Nur nach dem Einkommen bin ich obere Mittelschicht." (21)

Vermutlich haben sich noch mehr als 3 Autoren nach einem vermuteten Kriterium der Fremdeinordnung eingestuft, das sie selbst nicht anerkennen:

„Heute ist der einzige Gradmesser für den Menschen der materielle Erfolg. In der sozialistischen Gesellschaft ist es anders." (9)
„Kein Geld, keine Ehre." (22)

Eine weitere Beobachtung ist wichtig: 6 Autoren rechneten sich demonstrativ der *unteren Unterschicht* zu. Die Vermutung liegt nahe, daß diese Autoren die untere Unterschicht als den Ort derer betrachten, die nicht einen sehr niedrigen, sondern gar keinen Status haben. Bezeichnend ist, daß unter diesen 6 sich 5 Vertreter der „utopischen, asozialen neuen Klasse" befinden. Die untere Unterschicht löst sich vom Statusgruppenaufbau ab und kommt außerhalb zu liegen:

„Der Schriftsteller gibt heute in seiner Mehrheit eine Art Unterproletariat ab." (7)

Die Zugehörigkeit zum untersten Status, dieser Entzug von Ansehen, macht frei von sozialer Kontrolle und erlaubt deshalb Nonkonformität[62]. Derjenige, der nichts zu verlieren hat, kann auch etwas riskieren. Zweimal ist dabei ein Wunsch nach einer sozialen „Emanzipation nach unten" herauszuhören, z. B.:

„Meiner Herkunft nach gehöre ich zur unteren Oberschicht, aber es ist mein Wunsch, bewußtseinsmäßig zur unteren Unterschicht zu gehören." (8)

Es bleiben also nur noch 6 Autoren, die sich ohne ausdrücklichen Vorbehalt ins vorgegebene Schichtmodell einordneten, und zwar in die obere Oberschicht 1 („Ich persönlich: gehöre ganz oben hin"), in die

---

[62] Vgl. dazu *G. C. Homans:* Social Behavior. Its Elementary Forms, New York 1961, S. 336 ff.

untere Oberschicht 1, in die obere Mittelschicht 3, in die obere Unterschicht 1.

Der Verdacht, daß sich viele Autoren deshalb keinen Platz im vorgegebenen Modell gaben, weil sie mit diesem Modell nichts anfangen konnten, löst sich vollends auf durch die Tatsache, daß *alle* Befragten ganz spontan und ohne Bedenken ihre *Eltern* einordneten.

Genauso rechneten alle *berufstätigen Autoren* sich als Berufsrolleninhaber einer vorgegebenen Schicht zu, und zwar 3 der unteren Oberschicht, 6 der oberen Mittelschicht und 4 der unteren Mittelschicht. In ihren Berufen sind die Autoren scheinbar ein integrierter Teil der Gesellschaft: dort sind sie wie alle Berufsträger einem mannigfachen sozialen Druck ausgesetzt, dem sie sich nicht entziehen können.

Die vermutete Fremdeinordnung in das vorgegebene Schichtmodell

Bei den Befragten gehen die Meinungen weit auseinander, ob sie als Schriftsteller von der Gesellschaft einen Status zugewiesen bekommen bzw. wem von ihnen diese (zweifelhafte) Ehre widerfährt und wohin sie von welchem Gesellschaftsmitglied plaziert werden. Diese Uneinheitlichkeit der Vermutungen ist ein deutliches Zeichen für die prekäre gesellschaftliche Situation der Schriftsteller.

4 der 30 Befragten glaubten, daß „der Schriftsteller" in den Augen der Leute in keine der angegebenen Schichten paßt, weil er ein „exotisches Wesen" ist, z. B.:

> „Der arme Poet steht außerhalb der bürgerlichen Bewertbarkeit." (16)

Daß die vermeintliche bürgerliche Bewertung des Schriftstellers „*als Wortführer der Nation*" ein Mißverständnis ist, schwingt in den Antworten der 7 Autoren mit, die sich in die Oberschicht plaziert wähnen. Sie wollen nicht zur Oberschicht gehören:

> „Die Schriftsteller haben ein hohes Prestige aus Mißverständnis. Sie rangieren als Rezeptelieferer. Früher kam zum Schriftsteller noch dazu, daß er Informationen lieferte: ferne Erdteile, alte Zeiten usw. Heute macht das James Bond." (4)

Wer ist mit „dem Schriftsteller" gemeint, fragen 9 Autoren. Damit weisen sie auf den persönlichkeitsbestimmten Status des Künstlers hin: Zuckmayer, Böll, Grass usw. werden oben eingeordnet, der den Leuten unbekannte Schriftsteller unten oder meistens gar nicht:

> „Bestsellerautor und Torwart bei der Bundesliga unterscheiden sich nicht im gesellschaftlichen Stellenwert. Grass ist der Bruder von Uwe Seeler." (3)
> „Der wackere Böll würde in die Oberschicht eingeordnet werden, Gomringer würden sie ziemlich nach unten setzen, können sie gar nicht, weil sie ihn nicht kennen. Hängt damit zusammen, ob sich der Schriftsteller zu massenhaftem Konsum eignet." (1)
> „Zur Oberschicht zählte etwa Hesse, wenn Schriftsteller als Honoratioren und Wertgesetzgeber gelten. Die man heute als Störenfriede ansieht, sieht man außerhalb der Gesellschaft." (26)

In diesem Falle gibt es nicht „den Schriftsteller" als mögliche Ordnungskategorie, sondern nur Namen, die plaziert werden. Wer bekannt und anerkannt ist, steht oben. Unbekannt sein oder nur unangenehm aufgefallen zu sein bedeutet, keinen Status zu haben.

Daß 5 weitere Autoren behaupteten, die soziale Einschätzung des Schriftstellers sei sehr stark von der Schichtzugehörigkeit der Einschätzenden abhängig, wäre kaum bemerkenswert, wenn nicht 4 von ihnen folgende These aufgestellt hätten: Je höher der Status des Einschätzenden ist, desto niedriger wird er den Schriftsteller einstufen, und umgekehrt. Diese These widerspricht ganz der allgemeinen Überzeugung, daß die Oberschicht, „die Gebildeten", den „Mann des Wortes" mehr achten als die Unterschicht. Diese 4 Schriftsteller betrachten die Oberschichtsmitglieder als die sich an die Macht klammernden Träger anachronistischer Werte und Status-quo-Ideologien, denen die unruhigen, destruktiven, gelegentlich als „Pinscher" (L. Erhard) beschimpften Schriftsteller gefährlich werden können.

5 Autoren bleiben übrig, die ohne Vorbehalte meinen, als Schriftsteller einen bestimmten Ort im Schichtgefüge zugewiesen zu bekommen: 3 in der oberen Mittelschicht, 2 in der oberen Unterschicht. Die letzten beiden scheinen der Wirklichkeit am nächsten zu kommen.

Bolte fragte bei seiner Untersuchung u. a. nach dem Berufsstatus des „Schriftstellers" und fand ihn unter den 38 Berufen, die von den Befragten hierarchisch geordnet werden mußten, an 29. Stelle, die den Übergang von der Mittelschicht zur Unterschicht markiert[63]. Einschränkend muß erwähnt werden, daß die Einordnung des Schriftstellers in weit höherem Maße streute als die der meisten anderen Berufe.

Insgesamt ergibt sich der Eindruck, als wiesen die Schriftsteller die höchst unsicheren sozialen Plazierungsversuche durch die Leute zurück, aus der Befürchtung heraus, diese Einordnung sei mit Hintergedanken verbunden: Die Schriftsteller sollten damit gesellschaftlich „verdaut" und zur Ruhe gebracht werden.

Die Diskrepanz zwischen Selbst- und vermuteter Fremdeinordnung

Beim größten Teil der Gesellschaftsmitglieder korrelieren Fremd- und Selbstzuordnung positiv. Die soziale Selbsteinschätzung beruht auf der Fremdeinschätzung. Die Identität des sozialen Verhaltens ist erst gewährleistet, wenn beides zusammenfällt. Dabei dürfte die Unterscheidung von Selbst- und Fremdeinschätzung den meisten Leuten gar nicht bewußt sein.

Aus den Antworten von 26 der 30 Autoren ist dagegen eine starke Widersprüchlichkeit zwischen sozialer Selbsteinordnung und vermuteter Fremdeinordnung herauszulesen. Diese Diskrepanz ist ein weiterer Hin-

---

[63] *K. M. Bolte:* Sozialer Aufstieg und Abstieg, Stuttgart 1959, S. 38 Tab. 4, S. 42 Tab. 5; auch S. 46 u. 62.

weis auf die *verunsicherte soziale Situation* des Schriftstellers. Ein Zusammentreffen von Selbst- und vermuteter Fremdzuordnung, die wiederum mit der wirklichen Fremdeinordnung harmonieren müßte, wäre ein Zeichen und eine Bedingung für die soziale Integration der Betreffenden.

Rangvergleich des Schriftstellerberufes mit anderen Berufen

Einen letzten Hinweis auf die gesellschaftliche Isolierung der Schriftstellertätigkeit bringen die Antworten auf die Frage, welche Berufe nach „Rang und Ansehen" mit dem des Schriftstellers vergleichbar sind (Frage 24). Zwar wurde die Frage oft nicht in dem vom Interviewer intendierten Sinn aufgenommen; denn eine Anzahl der Befragten hörte eine Behauptung heraus, mit der sie nicht übereinstimmten, nämlich *daß* der Schriftsteller Rang und Ansehen habe. Trotzdem sind die Antworten aufschlußreich:

„Für mich ist es ein Beruf wie jeder andere." (3)
„Ein guter Maurer ist mehr wert als ein schlechter Schriftsteller." (4)
„Jeder andere Beruf; und es wäre schön, wenn sich die Schriftsteller abgewöhnen wollten, von ihrem Beruf als einem besonderen zu sprechen." (9)
„Beruf ist Beruf." (21)
„Ein Handwerk wie jedes andere." (22)
„Genauso wichtig wie Schuster und Fleischer ... Der Schriftsteller hat seine Funktion für die Gesellschaft abzuliefern wie jeder andere Beruf." (30)

Insgesamt 10 Autoren meinten, daß jeder Beruf mit dem des Schriftstellers vergleichbar ist. Einerseits weisen die Befragten für sich nur den alten dichterischen Anspruch zurück, als begnadete Persönlichkeiten einer elitären Beschäftigung nachzugehen, andererseits aber wird deutlich, daß sie sich zur eigenen beruflichen Rangeinschätzung nicht komparativ an anderen Berufen orientieren können. Unüberhörbar ist auch der Tonfall der Rechtfertigung: Unausgesprochen verteidigen sie sich gegen die Vorwürfe, daß ihr Beruf kein richtiger Beruf sei und daß sie dafür auch noch so hohes Prestige verlangen.

8 Autoren sahen eine Rangaffinität zu künstlerischen Berufen; sie bleiben damit in ihrem Eigengruppenbereich. Dasselbe gilt für die 6 Autoren, die sich rangmäßig mit den höchst statusunsicheren „Intellektuellen" (auch „Wissenschaftler" wurden erwähnt) gleichsetzen:

„Ich würde sagen, so Politiker in der Art von Dutschke; eigentlich nur Studenten, aber das ist kein Beruf. Ich hätte beinahe gesagt: Gammler, Leute, die sich weigern, in den Produktionsprozeß einzutreten." (12)

Als nicht vergleichbar mit anderen Berufen bezeichneten 4 Autoren ihre literarische Beschäftigung:

„Vergleichbar mit der des früheren Hofnarren; heute ist es eine Sonderposition." (24)

2 Autoren wußten nichts anzugeben.

Ganz deutlich wird hier die *Unvergleichbarkeit* des schriftstellerischen

43

Berufes mit bestimmten „gewöhnlichen" Berufen nach Funktion, Prestige, Rang, und damit seine Isolierung.

8. Zusammenfassung: Außenseiter der Gesellschaft

Die soziale Situation des jüngeren Schriftstellers läßt sich folgendermaßen zusammenfassen:

— Von der reinen primärschriftstellerischen Arbeit können die Autoren nicht leben; sie beziehen ihren Lebensunterhalt hauptsächlich aus Beiträgen für Rundfunk, evtl. Fernsehen und Zeitungen oder aus Nebenberufen. Einer materiellen Hilfe durch den Staat sind sie grundsätzlich nicht abgeneigt, halten aber eine gerechte und uneigennützige Unterstützung für utopisch.

— Der soziale Umgang der Befragten, von denen nur sehr wenige Mitglieder von Vereinen oder Verbänden und so gut wie alle ihrem Elternhaus entfremdet sind, beschränkt sich zum großen Teil auf die künstlerische Eigengruppe, die ein kontrakulturelles Literaturkonzept vertritt. In bezug auf die Schriftstellerrolle gibt es Anzeichen von *Intra*rollenkonflikt, der gelöst wird durch die Beschneidung der Rolle, nämlich durch weitgehende Ausklammerung des zur Rolle gehörigen Beziehungsfeldes „Publikum", und, bei berufstätigen Schriftstellern, Anzeichen für *Inter*rollenkonflikt.

— Die offensichtliche „Nutzlosigkeit" der künstlerischen Arbeit widerspricht den Werten und Normen der westlichen industriellen „Leistungsgesellschaft"; dem Schriftsteller wird keine Funktion zugesprochen, er erfährt keinen sozialen Ort. Diese Tatsache spiegelt sich in den Antworten der Befragten wider: als Schriftsteller, nicht als Berufstätige, halten sie sich für gesellschaftlich isoliert (wobei dieses Gefühl nicht auf einer konsequent individualistischen Attitüde beruht, die sich über jede Gesellschaftlichkeit erhebt, sondern auf sozialer Gegenwartserfahrung).

Bei der Selbstzuordnung in ein eigenes oder vorgegebenes Schichtungsmodell und bei der vermuteten Fremdzuordnung gaben sich alle Befragten als Schriftsteller wenigstens einmal keinen sozialen Standort, und wenn sie es dennoch manchmal in anderen Fällen taten, so lassen gleichzeitig geäußerte Vorbehalte darauf schließen, daß sich niemand in das soziale Ganze eingebettet fühlt. Der weitaus größere Teil erklärte ausdrücklich, daß sie als Schriftsteller „außerhalb der Gesellschaft" ständen. Angesichts der allgemeinen sozialen Situation der Schriftsteller und der Tatsache, daß alle Befragten Anzeichen zu erkennen gaben für ihre gesellschaftliche Isolierung (dazu gehört auch: die Unvergleichbarkeit der Schriftstellertätigkeit mit statussicheren Berufen, und die Diskrepanz zwischen Selbst- und vermuteter Fremdeinordnung), scheint es berechtigt zu sein, den ersten Teil der Hypothese – *daß jüngere Schriftsteller gesamtgesellschaftlich isoliert sind – für belegt zu halten.*

– Gleichzeitig kann die Annahme, *daß ein Nebenberuf den Schriftsteller sozial potentiell integriert,* als belegt gelten. Alle berufstätigen Befragten waren bereit, ihren Nebenberuf sozial einzuordnen (wenn auch nicht alle ein eigenes Statusgruppenmodell zur Verfügung hatten, in dem ein genauer sozialer Ort für ihren Beruf enthalten war).

Nun ist zu fragen, ob sich das gesellschaftliche und politische Bewußtsein der berufstätigen Schriftsteller von dem der freien unterscheidet.

III. Die Gesellschaftsbilder junger Schriftsteller

Wie sehen die Befragten ihre größere soziale Umwelt? Im Zusammenhang mit dieser Frage soll noch einmal auf die eingangs getroffene Unterscheidung zwischen Gesellschaftsbild und Ideologie eingegangen werden. Gesellschaftsbild und Ideologie sind *interdependent* und ineinander verschlungen. Zur Ermittlung der Gesellschaftsbilder sind die Feststellungen der Autoren, die die soziale Umwelt betreffen, ihrer werthaltigen Elemente zu entkleiden. Die Wertungen wiederum bilden insgesamt die mehr oder weniger systematischen Ideologien.

Man kann einwenden, daß Ideologien die gesellschaftliche Betrachtungsweise dirigieren, daß eine ideologische Haltung bestimmte Fakten in das Gesellschaftsbild einbezieht und andere übersieht, also selektiv, verzerrend wirkt. Das ist zweifellos richtig (genauso, wie jede positionsspezifische Erfahrung auch ohne Wertungen selektiv ist). Aber auch ein verzerrtes Gesellschaftsbild ist ein Gesellschaftsbild, das der Orientierung dient. Die soziale Bildwelt ist subjektiv das Abbild der Wirklichkeit und bestimmt das Verhalten, und diese vermeintliche soziale Wirklichkeit wird bewertet. Durchwegs nimmt eine diesbezügliche Argumentation folgenden Weg: „Sieh mal, so ist es (= das Gesellschaftsbild), und das ist gut bzw. schlecht, so und so sollte es sein" (= die Ideologie).

Bevor die Gesellschaftsbilder der jüngeren Schriftsteller herausgearbeitet und ihre Differenziertheit sowie ihre Verteilung auf berufstätige und freie Schriftsteller geprüft werden, sei auf eine bestimmte Eigenart der Gesellschaftsvorstellungen der Schriftsteller hingewiesen, nämlich auf ihr „Buchwissen" von der Gesellschaft.

1. Das angelesene Wissen

Ein erster Überblick über die Antworten ergibt den Eindruck relativ „ferner" Gesellschaftsbilder, die in ihrer Verwendung von abstrakten

Sozialkategorien über eine naive soziale Primärerfahrung hinausgehen. 8 Autoren bezogen sich in ihren Antworten auf die moderne *Soziologie* oder fanden, daß nicht sie selbst, sondern diese Wissenschaft etwas dazu zu sagen habe; 9 weitere wiesen in diesem Zusammenhang auf *Karl Marx* hin.

Das Gesellschaftswissen der Schriftsteller ist zum Teil offensichtlich angelesen, bzw. die Eigenerfahrung ist durch Buchwissen ergänzt. Angesichts ihrer intimen Beziehunge zu Büchern, die auch im Nebenberuf vorherrscht, ist das nicht verwunderlich. Darüber hinaus aber ist schwer zu entscheiden, ob die Autoren bei der Soziologie und bei Marx eher die Bestätigung und Abrundung ihrer unmittelbaren sozialen Erfahrung suchen oder aber einen Ersatz für fehlendes Erfahrungswissen. Wenn zwei *freie Schriftsteller* (nach einem mißlungenen Versuch, einzelne Schichten zu benennen) sagen:

„Finde ich alles so blöd, vergesse es immer wieder." (22) „. . . habe mich nie damit beschäftigt." (20)

fehlt es dort offensichtlich an einer bestimmten unmittelbaren Erfahrung, die, weil sie sich täglich einstellt, kein Vergessen zuläßt und keine ausdrückliche Beschäftigung mit dem Gegenstand nötig macht.

Bei den *berufstätigen Autoren* findet sich auch eine Haltung des Darüberstehens, der gemäßigten, ins Positive verkehrten Form des Außenstehens:

„Da kannste schreiben: Ich als der, der sich mit Literatur beschäftigt, habe die Möglichkeit, vom Geldadel empfangen zu werden als auch mit dem versoffensten Arbeiter auf einer S-Bahn-Station aus einer Flasche Bier zu saufen. Die sozialen Unterschiede in Deutschland betreffen mich nicht, aber sie sind da." (Nachfrage: Welche Schichten?) „Man müßte Statistiken lesen. Die Soziologie weiß das." (5)

Hier ist ein Anhaltspunkt dafür gegeben, daß die berufstätigen Schriftsteller ihr soziales Selbstverständnis weniger aus ihrer strukturierten Berufsrolle als aus ihrer unstrukturierten Schriftstellersituation beziehen. Die spezifische, mit der Berufsausübung anfallende soziale Erfahrung wird offenbar etwas vernachlässigt und durch Bücherwissen aufgefüllt.

Trotzdem wird vorläufig die Annahme nicht hinfällig, daß ein sozial integrierender Nebenberuf für den sozial isolierten Schriftsteller eine Quelle des Gesellschaftsverständnisses ist. Denn wenn auch jeder Autor dazu neigt, ein Gesellschaftsbild als Buchstabenwissen zu übernehmen, so kann doch der Nebenberuf einen Einfluß haben auf die Art, Modifizierung und Differenzierung dieses Gesellschaftsbildes.

Zur weitverbreiteten Behauptung, daß die Autoren von der sozialen Wirklichkeit weniger Ahnung haben als andere Leute, läßt sich jetzt schon sagen: Sie haben einfach eine *andere* Ahnung, ein *abstraktes Wissen*, das sie distanziert auf die große soziale Umwelt anwenden. Der diffizile soziale Kleinkram, der dem integrierten Gesellschaftsmitglied als tägliche Grundlage kurzatmiger sozialer Verallgemeinerungen dienen mag, ist insbesondere den freien Schriftstellern fremd.

2. *Die Gesellschaftsbilder und ihre Verteilung auf freie und berufstätige Autoren*

Aus den Antworten der Schriftsteller auf die Fragen nach der sozialen Schichtung (Frage 22), sozialen Mobilität (27), den gegenwärtigen Machtverhältnissen (18) und den Trägern der Werte (16) lassen sich zwei verschiedenartige Gesellschaftsbilder herauslesen, die ziemlich eindeutig getrennt werden können. In einer ersten Zusammenfassung sollen die beiden Gesellschaftsbilder kurz beschrieben und unterschieden werden. Dabei wird die in der Soziologie übliche Unterscheidung von ,,Schicht" und ,,Klasse" verwendet.

,,Unter ,Schicht' wird eine Kategorie von Personen verstanden, die nach gewissen, jeweils zu bestimmenden situationellen Merkmalen wie Einkommen, Prestige, Lebensstil usw. eine annähernd gleiche Lage innerhalb der als hierarchische Skala vorgestellten Sozialstruktur einnimmt . . . Klassen sind aus bestimmten Strukturbedingungen (nämlich besonders den unterschiedlichen Eigentumsverhältnissen zu Produktionsmitteln – M.D.) hervorgehende Interessengruppierungen, die als solche in soziale Konflikte eingreifen und zum Wandel sozialer Strukturen beitragen.''[64]

Im *ersten* Gesellschaftsbild deuten sich folgende Vorstellungen an: Der Schichtaufbau wird als Kontinuum mit fließenden Grenzen und unscharfen Einschnitten gesehen. Vertikaler Statuswechsel, Übergänge von einer Schicht in die andere sind grundsätzlich möglich, wenn auch die faktische Durchlässigkeit der Schichtgrenzen nicht überschätzt wird. Ein Prozeß der sozialen Nivellierung hat die Statusgrenzen in der Mitte des gesellschaftlichen Statusaufbaues zusammengedrängt oder zumindest, wenn schon die Höhe des Kontinuums nicht abnimmt, die obersten und besonders die untersten Statusgruppen zahlenmäßig verringert. Die Macht ist auf (vorwiegend wirtschaftliche) Interessengruppen verteilt, zwischen denen ein Gleichgewicht herrschen könnte (was heute nur in ungenügendem Maße der Fall ist). Nur im Zusammenschluß mit anderen, als Positionsträger innerhalb eines Interessenverbandes, kann der einzelne wirksam politischen und sozial relevanten Einfluß nehmen. Interessenverbände und bestimmte soziale Positionen sind für den einzelnen grundsätzlich zugänglich, wenn es auch gewisse Barrieren gibt. Da die Untergebenen grundsätzlich (dabei mit faktischen Vorbehalten) die Möglichkeit haben, an Wohlstand und Macht zu partizipieren, sind sie genauso wie die Herrschenden an der Aufrechterhaltung des gerade gültigen gesellschaftlichen Wert- und Normsystems interessiert.

---

[64] *R. Dahrendorf:* Soziale Klassen und Klassenkonflikt in der industriellen Gesellschaft, Stuttgart 1957, S. IX.

47

Dieses Gesellschaftsbild enthält also *die Vorstellung eines zur Nivellierung neigenden Schichtkontinuums im annähernden Machtgleichgewicht mit allgemeinem Wertkonsensus.*

Im *zweiten* Gesellschaftsbild deuten sich folgende Vorstellungen an: Die Gesellschaft ist gespalten in zwei Klassen (oder bewegt sich auf eine solche Spaltung zu). Die Klassen sind, nach Marx, durch Besitz oder Nichtbesitz an Produktionsmitteln bestimmt. Die Klassengrenzen sind so gut wie nicht überschreitbar, die entgegengesetzten Klasseninteressen sind unvereinbar. Es gibt zwar Interessenverbände der Eigentümer an den Produktionsmitteln *und* der Lohnarbeiter, aber zwischen ihnen kann kein Gleichgewicht bestehen. (Einige erkennen die Gewerkschaften gar nicht als echte Interessenvertretung der Arbeiter an.) Die Macht liegt einseitig in den Händen der Unternehmer. Der einzelne, in diesem Fall der ökonomisch abhängige, gelangt nie zur wirksamen Einflußnahme, da Macht und Einfluß letzten Endes immer vom Privateigentum abhängig sind und der Zugang zum Eigentum an Produktionsmitteln versperrt ist. (Auch das gegenwärtige Parlament repräsentiert einseitig das Kapital.) Die gesellschaftlichen Werte sind die Werte der Herrschenden, der Eigentümer an Produktionsmitteln; nur diese können an ihrer Aufrechterhaltung interessiert sein; den ökonomisch Abhängigen werden sie aufgezwungen.

Dieses Gesellschaftsbild enthält also *die Vorstellung einer durch Besitz oder Nichtbesitz an Produktionsmitteln begründeten Klassendichotomie mit einem Interessen- und Wertkonflikt, der auf der Grundlage der gegenwärtigen Produktionsverhältnisse nicht beizulegen ist.*

Zur Verteilung der Gesellschaftsbilder

Das *Schichtenmodell,* eine (kritisch modifizierte) Übernahme der „westlichen" Generalthese von der pluralistischen, relativ ausgeglichenen Gesellschaft, vertreten 8 freie, 11 berufstätige und 1 studierender Autor, *insgesamt 20.*

Das *Klassenmodell,* das (neo-)marxistische Konzepte anwendet, vertreten 6 freie, 2 berufstätige (von denen einer 7 Jahre lang freier Schriftsteller war) und 2 studierende Autoren, *insgesamt 10.*

Zuerst fällt auf, daß 1/3 aller Befragten einem Gesellschaftsbild anhängen, das nach den empirischen Untersuchungen der letzten Jahre aus dem Bewußtsein der Bevölkerung so gut wie verschwunden ist und erst jetzt wieder unter den „Antiautoritären" an Boden gewinnt.

Noch in der Mitte der 60er Jahre vertraten nur 3 % der Jugendlichen im Alter von 23 Jahren ein marxistisches Gesellschaftsmodell, weitere 2 % ließen marxistische Anklänge hören[65]. „Prestige- und Statusdenken ... ersetzten das Klassendenken (des 19. Jh.). Die Zunahme der Zahl und die Bedeutung der Angestellten

---

[65] *E. Pfeil* u. a.: Die 23jährigen, Tübingen 1968, (Veröffentlichung der Akademie für Wirtschaft und Politik, Hamburg), S. 244, Tab. 68.

förderten diesen Prozeß überdies. Umfragen haben gezeigt, daß das Klassendenken bei gesellschaftlicher Ungesichertheit zunimmt, bei gesichertem sozialen Status entsprechend abnimmt."[66] Angestellte sehen im allgemeinen keine Dichotomie – im Sinne eines (schicksalhaften) Oben und Unten – wie der Großteil der Arbeiter, sondern eine mehrstufige Hierarchie.

Berufstätige Schriftsteller neigen eher zum *Schichtenmodell* als die freien. Alle berufstätigen Schriftsteller – mit der Ausnahme eines Selbständigen – sind höhere Angestellte.

Im folgenden soll auf die beiden Gesellschaftsbilder näher eingegangen werden.

a. Das Schichtenmodell

Dieser Typ des Gesellschaftsbildes, der im ganzen mehr Varianten umfaßt als der Klassen-Typ, reicht von der Vorstellung einer abgeschlossenen Nivellierung, die überhaupt keine auffälligen sozialen Unterschiede mehr erkennen läßt, bis zu der (stark revidierten) marxistischen Vorstellung, in der eine neuere gesellschaftliche Entwicklung, nämlich die Entstehung des „neuen Mittelstandes", berücksichtigt ist:

„Gegen früher gibt es kaum noch Unterschiede, die Grenzen sind verwischt. Die High Society und die Arbeiter, von außen und in ihren Lebensbedingungen sind sie nicht zu unterscheiden, höchstens die Wetterbräune. Eine ausgesprochene Nivellierung hat stattgefunden, das ist nicht negativ gesehen, aber das macht die Flauheit aus." (2)
„Die sozialen Unterschiede sind immer arm und reich. Aber das hat sich doch schon unter den Jüngeren wesentlich eingeebnet, weniger von oben als von unten. (Nachfrage: Wie viele Schichten gibt es?) Arbeiter gibt es nicht mehr. Es wird weiterhin geben: Mittelstand oder Adel, Topmanagement, Großbürger – und die Kleinbürger, die kleinen Angestellten und Arbeiter, aber nicht mehr in der alten Vorstellung: den unteren Mittelstand." (22)
„Klassen im marxistischen Sinn gibt es nicht mehr . . . das Management, evtl. auch die Aktienbesitzer kommen meist aus dem Proletariat, Kleinbürgertum, es ist eine neue Schicht." (30)

Alle Nivellierungsvorstellungen gehen davon aus, daß es früher ausgeprägte soziale Unterschiede gegeben hat, und zwar die von Marx analysierten Klassenunterschiede. Die ständischen Unterschiede der vorindustriellen Zeit, auf die einige Soziologen hinweisen, wenn sie den heutigen Fortschritt in einem besonders hellen Licht erscheinen lassen wollen, gehören nicht mehr zum komparativen Bezugsrahmen der Schriftsteller. Gerade die Auseinandersetzung mit Marx und seiner Zeit dürfte ein wesentlicher Bestandteil der Eigenkultur heutiger Literaten sein.

Sehen einige Vertreter des Schichtenmodells aufgrund der gesellschaftlichen Entwicklung seit Marx (z. B. Erhöhung des Lebensstandards, Ver-

---

[66] *Eug. Kogon:* Klassen und Revolution im Denken der „Neuen Linken", in: *E. K. Scheuch* (Hrsg.): Die Wiedertäufer der Wohlstandsgesellschaft, Köln 1968, S. 88.

vielfachung und Differenzierung der Angestellten, soziale Mobilität) umfassende Nivellierungstendenzen, so bemerken die Vertreter des revidiert marxistischen Modells dieser Gruppe eher neue Differenzierungstendenzen:

> „O Gott, wie viele? Die Grenzen sind fließend. Die Arbeiterklasse gibt es allemal noch; es sind 50 % der Bevölkerung. Dann sind da die Angestellten, technische Intelligenz, der Mittelstand. Die Oberschicht besteht aus Unternehmern mit Geld, politischem Einfluß." (28)
> „Ich glaube, es gibt eine homogene und noch irgendwie selbstbewußte, auch selbstgenügsame Arbeiterschicht, die ist nicht mehr so groß wie früher. Dann: ein riesiger heimatloser Mittelstand mit dauernder Fluktuation, Auf- und Abstiegen ... Dann wieder eine homogene Schicht von Abhängigen, gehobenen Angestellten, auch Freien. Dann Unternehmer. Aus diesen letzten beiden rekrutiert sich die Macht." (14)

Wie schon erwähnt (s. Kap. II. 7. c.), haben 10 der Befragten kein eindeutig gegliedertes Statusgruppenbild. Einige von ihnen hängen der Vorstellung einer vollkommenen Nivellierung an. Andere sind sich klar darüber, daß es wirksame soziale Unterschiede gibt, aber sie wollen oder können sich für keine einheitlichen, die ganze Gesellschaft betreffenden Abstufungskriterien oder bestimmte Schichtenzahlen entscheiden. Ihre Antworten verraten eine gewisse Unsicherheit, der größeren sozialen Umwelt ein Profil zu geben. Dennoch war bei ihnen stets die Vorstellung eines Abstufungs*kontinuums* gegenwärtig.

Hierher gehört auch eine Sicht, die das Klassenmodell als unangemessen beiseite geschoben hat, aber sozusagen in Reserve hält für schlechtere Zeiten. Ein Ersatz, der die gegenwärtigen Strukturmerkmale beschreibt, ist nicht gefunden:

> „Bei uns gibt es einen merkwürdigen Unterschied. Solange Ökonomie und Konjunktur laufen, gibt es keine krassen Unterschiede. Immerhin scheint das allgemeine Klima so, daß Schicht- und Klassenunterschiede keine Rolle mehr spielen. Dabei gibt es eine Fülle von meist sehr lächerlichen Prestigefragen, eine Vielzahl von Schicht- und Standesbewußtseinen. Diese Dinge werden scharf, wenn ökonomische Krisen auftreten. Da können alte Klassen auftreten." (18)

Typisch für das erste Gesellschaftsbild scheint das 3- oder 4-Schichten-Modell zu sein. 2 Stufen wurden nur zweimal genannt; in beiden Fällen war die Abgrenzung unsicher im Gegensatz zu der rigorosen 2-Klassen-Abgrenzung des zweiten Gesellschaftsbildes.

Folgende *Schichtenkriterien* wurden von den Befragten als Abstufungsmerkmale ausdrücklich genannt oder ergaben sich aus den Schichtbezeichnungen: *Einkommen* (13mal), oft durch das Wort Geld ausgedrückt, das auch Besitz bedeuten kann, der 4mal angeführt wurde; *Beruf* (6mal, der Beruf war 3mal mit Einkommen kombiniert); *Prestige* (4mal); *Macht* und *Begabung* (je 2mal).

Man könnte meinen, daß die 11 berufstätigen Vertreter des ersten Gesellschaftsbildes, die ja alle „höhere" Berufe haben, gegenüber den freien Schriftstellern das

Schichtkriterium Beruf betonen. Aber nur 2 berufstätige Autoren erwähnen dieses Merkmal, wieder ein Hinweis, daß Schriftsteller nicht zur Identifikation mit ihren Nebenberufen neigen.

Kein einziges Mal wurde das Merkmal der Bildung genannt. Das ist insofern verwunderlich, als sich alle Schriftsteller als *hommes de lettres* durch „Bildung", wenn auch vielleicht nicht im üblichen Sinne, auszeichnen und gleichzeitig 14 von den 20 Vertretern des ersten Gesellschaftsbildes mindestens für einige Semester eine Universität besucht haben. Die Ignorierung der formellen Bildung als Statuskriterium hängt wohl damit zusammen, daß die Schriftsteller – abgesehen davon, daß sie zur persönlichkeitsbestimmten Betrachtungsweise neigen – mit der üblichen „Bildung" die Vorstellung von traditionellen „Bildungsgütern", „ewigen Werten" und Konservativismus verbinden.

Mit den Arbeitern teilen die Schriftsteller – wie einige ausdrücklich sagen – das Bewußtsein finanzieller Beschränkung und Unsicherheit. Dadurch gewinnt, wie bei jenen, das Einkommen diesen beherrschenden Platz in ihrem sozialen Denken, obwohl sie es genausowenig wie andere Statuskriterien als prestigerelevant für die eigene Person ansehen. Sie glauben, es sei der wichtigste soziale Bestimmungsgrund in der Gesellschaft: „Geld ist das einzige, was gilt. Alles andere ist fauler Zauber." (9)

Das gilt auch für den Bereich der *sozialen Mobilität*. Geld ist demnach das Movens und das Ergebnis der sozialen Mobilität, als deren Hemmnis immer wieder die höchst ungleichen Start- und Fortkommenschancen der einzelnen Gesellschaftsmitglieder angeführt wurden. Als Voraussetzung für einen ökonomischen Aufstieg wurden 5mal persönliche Fähigkeiten genannt (positive Fähigkeiten: Intelligenz, Tüchtigkeit; negative Fähigkeiten: Anpassungsgabe).

Sozialer Aufstieg wird im Gegensatz zum allgemeinen Sprachgebrauch von den Schriftstellern keineswegs immer hoch bewertet: „So etwas muß hoch bezahlt werden"; sie fürchten den Verlust, die Korruption der Persönlichkeit. Anpassung, Integration könnte den schöpferischen Kräften eines Individuums gefährlich werden. Nur 4mal fiel im Zusammenhang mit der sozialen Mobilität das Wort Leistung, erstaunlich selten, gemessen an der weiten Verbreitung des Schlagworts von der „Leistungsgesellschaft".

Im ganzen waren die Antworten auf die Frage nach der sozialen Mobilität in unserer Gesellschaft ziemlich unergiebig. Allein 6 von den 20 Vertretern des Schichtentyps wußten gar keine Antwort. Offenbar interessieren sich auch die berufstätigen Schriftsteller viel mehr für die informelle *Ersatzkarriere* der Prominenz als für irgendeine formelle Berufskarriere.

Die durchgehende Antwort auf die Frage nach der *Aufstiegsmöglichkeit des Schriftstellers* hieß: *„durch Erfolg"*. Aber auch der schriftstellerische Erfolg ist kein vorbehaltlos angestrebtes Ziel, weil er meistens nur durch Zugeständnisse an den größeren Markt erreicht werden kann. Erfolg bedeutet eine willkommene finanzielle Unterstützung und eine Prestigeaufwertung des Schriftstellernamens bei der Bezugsgruppe „Leser", ist aber gleichzeitig häufig verbunden mit einer Abwertung innerhalb der künstlerischen Eigengruppe, deren Anerkennung für das Selbstverständnis des Schriftstellers meist wichtiger zu sein scheint als die Anerkennung durch das Publikum. Dennoch ist sozialer Aufstieg für den Schriftsteller nur über den Erfolg möglich, d. h. die Erhöhung seines persönlichkeitsbestimmten Status geschieht nur durch Erweiterung des Kommunikationskreises und „publicity" (und wenn der Autor gleichzeitig ein hohes künstlerisches Niveau halten kann, macht auch die künstlerische Eigengruppe keine Abstriche in der Anerkennung).

Im Bezug auf die gesellschaftlichen Machtverhältnisse ist es das entscheidende Merkmal des Schichtenmodells, daß es, im Gegensatz zum Klassenmodell, die Macht nicht mit dem Privateigentum an den Produktionsmitteln identifiziert. Selbstverständlich bleibt das Eigentum eine Grundlage der Verfügungsgewalt über andere, aber eben nur *eine* unter anderen:

> „Macht haben diejenigen, die die ökonomischen Verhältnisse beherrschen. Aber ihre Macht darf nicht überschätzt werden. Ich will nicht auf das kapitalistische Modell hinaus. Auch die Kirchen, Parteien haben entscheidende Macht durch ihre Elitegruppen." (18)
> „Was macht mächtig? Wirtschaftliche Macht, vorausgesetzt das richtige Gesangbuch. In der Politik ist die Voraussetzung die richtige Bedienung der reaktionären, nationalistischen, irrationalen Tendenzen." (28)

Trotz schärfster Einschränkung: die Macht erscheint begrenzt pluralitär verteilt. Neben dem Privateigentum gibt es unabhängige Machtfaktoren, deren Wirksamkeit in der heutigen Gesellschaft strukturell angelegt, wenn auch kaum verwirklicht ist.

Die Frage, ob jeder an der Macht teilnehmen und Einfluß ausüben kann, wird nicht prinzipiell verneint:

> „Er kann es theoretisch, nach dem Versprechen des Grundgesetzes; praktisch nicht, weil er nicht angelernt ist. Der Bürger ist so weit entpolitisiert, daß er seine Rechte nicht kennt." (14)
> „Die Verfassung, unsere Rechte werden viel zuwenig ausgenützt." (22)
> „Es gibt eine Macht der Interessenverbände: z. B. Gewerkschaft ... Kunsthandel. Wenn sich 1000 Hausfrauen zusammenschließen, können sie die Eier billiger machen." (23)
> „Dieser Mittelstand hat die Drückeberger geboren ... Im Grunde genommen hat die Gesellschaft Macht, weiß es aber nicht. Dadurch kommt es zu den gefährlichen Einzelgängern. Politische Einflußnahme setzt Information voraus." (21)

Durch die faktisch *ungleiche Verteilung der Bildungschancen* ist nach Meinung dieser Antworten den unteren Schichten der Zugang zu den einflußreichen Positionen so gut wie versperrt[67] — eines der Hindernisse für eine Einflußnahme aller. Trotzdem herrscht die Überzeugung vor, daß unter den gegenwärtigen sozialen Verhältnissen im großen und ganzen die

---

[67] Siehe dazu die Aufbereitung bildungssoziologischer und -ökonomischer Daten bei *H. Bilstein,* Studenten als Bildungsreformer, *Analysen* Bd. 3, Opladen 1970 (Veröffentlichung der Akademie für Wirtschaft und Politik, Hamburg).

Voraussetzungen für eine halbwegs ausgewogene Machtverteilung gegeben sind. Nicht eine, sondern mehrere „herrschenden Klassen" üben die Macht aus.

Pluralistische Machtverhältnisse setzen einen gewissen *Konsensus* aller über grundlegende gesellschaftliche Werte, Normen und Spielregeln der Auseinandersetzung voraus. So betrachten die Vertreter des Schichtenmodells fast alle Gesellschaftsmitglieder als Träger des gegenwärtigen sozialen Wert- und Normsystems:

> „In einer Gesellschaft, die weitgehend zu einer klassenlosen Gesellschaft übergegangen ist, sind alle daran (an der Aufrechterhaltung der Werte, Normen, Tabus) interessiert, die es angeht . . . Wenn einem irgendwelche Werte verschlossen sind, etwa Eigentum, dann findet er Ersatzwerte." (23)
> „Teuflischerweise beide, Obrigkeit und Untergebene (sind an der Aufrechterhaltung . . . interessiert); dadurch funktioniert alles." (4)

Zwei psychologisierende Erklärungen für den allgemeinen Wertkonsensus:

> „Alle Pharisäer (sind interessiert), die buchstäblich an ihrer eigenen Minderwertigkeit kaputtgehen würden . . . Der kleine Mann muß an den Werten festhalten." (22)
> „Normen und Tabus sind auch ein ernstzunehmender Schutz für viele Leute, z. B. die Tabuisierung der sexuellen Existenz. Sie beschützen viele Leute vor sich selbst." (18)

Die folgende Äußerung deutet schon den Übergang vom Schichtenmodell zum dichotomischen Klassenmodell an:

> „Interessiert sind jeweils die Leute, denen es was nützt, das Establishment, die herrschenden Kreise, die Konglomerate aus Wirtschaft und Politik. Aber auch die Leute, denen es nichts nützt, steigen infolge eines falschen Bewußtseins für diese Interessen auf die Barrikaden." (28)

b. Das Klassenmodell

In Marx' soziologischen Schriften läßt sich ein gesellschaftsanalytischer Teil von einem spekulativen trennen. Marxistisch ist ein Gesellschaftsbild insofern, als es den von Marx oder in seiner Nachfolge ermittelten kapitalistischen Gesellschaftsaufbau noch ohne Vorschläge zu seiner Überwindung enthält. In dem bei den Befragten vorhandenen marxistischen *Konfliktmodell* erscheint die Gesellschaft aufgespalten in zwei Klassen, die definiert sind durch ihr Verhältnis zu den Produktionsmitteln, Eigentümer und Nichteigentümer:

> „Zwei grundsätzliche Klassen: die durch Profit ihr Geld verdienen, durch Zins, Wertpapiere – die mehr oder weniger Stundenlohn kriegen." (6)
> „Der einzige grundlegende Unterschied ist: Eigentümer an Produktionsmitteln und keine Eigentümer. Ich bemerke diesen Unterschied auf Schritt und Tritt." (29)

Den Vertretern des Klassenmodells ist nicht entgangen, daß die kapitalistische Gesellschaft seit Marx' Zeiten einigen Veränderungen unterworfen war; etwa die allgemeine Erhöhung des Lebensstandards, die Vervielfachung und Differenzierung der Angestelltenberufe etc. Der *grundlegende Unterschied* zwischen den beiden Gesellschaftsbildern besteht nur eben darin, daß im ersten die *Klassengegensätze verwischt* erscheinen und einem Schichtenkontinuum Platz gemacht haben und daß im zweiten die *Klassengegensätze nur überdeckt* erscheinen und jederzeit wieder aufbrechen können:

„Die alten Klassenunterschiede gibt es immer noch. Sie sind nur kaschiert von dem allgemeinen wirtschaftlichen Boom, dessen Ende man heute schon absehen kann. Es gibt noch das Proletariat. Es hat sich sein Klassenbewußtsein um eines momentanen Vorteils abkaufen lassen, ohne daran zu denken, daß es sich durch 7 fette 7 magere Jahre einhandelt. Das Wort Bourgeoisie ist nicht mehr passend . . . das ändert aber nichts an der klassischen Differenzierung mittelloses Proletariat–Besitzende." (7)

„Nach wie vor gibt es zwei Klassen: Ausbeutende und Ausgebeutete. Die Unterschiede sind nach außen nicht mehr so leicht feststellbar. Die Beherrschenden bemühen sich, die Unterschiede nach außen zu verwischen. Dazu macht der Wohlstand die Dinge undurchsichtig. Das ändert aber nichts an der Sache der Zweiteilung." (10)

Das Klassenmodell erlaubt auch die Konzeption von drei Klassen, die zur Polarisierung drängen:

„Erstens der Besitzlose, d. h. der grundsätzlich nicht mehr hat als er zur Erhaltung seiner Arbeitskraft, der Unterhaltskosten für seine Familie braucht. Dazu gehören auch: Kühlschrank, Auto, um an den Arbeitsplatz zu kommen, Fernseher.
Zweitens die Mittelklasse: kleinere Geschäftsleute, Handwerker, mittlere und höhere Angestellte, die unabhängiger leben können, wenn's drauf ankommt. Aber die Tendenz besteht: sie stehen im härteren Existenzkampf als bisher durch Konzentration der Wirtschaft im allgemeinen.
Drittens Konzerne, Monopole mit der Tendenz, sich alle anderen einzuverleiben." (24)

(Hier werden der sogenannte alte Mittelstand — Handwerker — und der sogenannte neue Mittelstand — Angestellte — nicht ganz gerechtfertigt gleichgesetzt.)
Übergänge von einer Klasse in die andere sind nicht möglich. *Soziale Mobilität* spielt sich nur innerhalb der zwei Hauptklassen ab, wobei es echte Mobilität heute eigentlich nur im Zusammenhang mit „Profit" gibt. Alles andere ist nur Scheinmobilität:

„Eine gesellschaftliche Position ist nur zu ändern, indem man seinen Profit vergrößert, das heißt, zunehmend nicht mehr von eigener Arbeitskraft lebt, sondern von anderer." (7)

„Es gibt nur das subjektive Empfinden des Wechsels, keinen tatsächlichen . . . Vom Banklehrling zum Bankdirektor: das sind keine Unterschiede der Position." (3)

Die *Macht* liegt eindeutig und einseitig in den Händen der Eigentümer an Produktionsmitteln:

„Die Macht ist sehr einseitig verteilt. Sie wird nicht von unten nach oben ausge-

übt, sondern umgekehrt. Die Demokratie kommt nicht zu ihrem Recht, weil die Wahl nicht dem Willen des Wählers Genüge tut, sondern Mittel zum Zweck einer herrschenden Klasse ist, der jeweils Besitzenden, Konzerne. Sie stellen die ihnen jeweils genehmen Politiker." (24)
„Die wirtschaftlichen Interessengruppen sind ungleich proportioniert. Das Kapital ist auch viel stärker im Bundestag vertreten." (7)

Zwischen den *Interessenverbänden* herrscht kein Gleichgewicht. Weil Macht mit Eigentum identisch ist, erscheint eine demokratische Machtverteilung illusorisch, solange es die Institution des Privateigentums gibt. Mit Marx betont man, daß sich in den gesellschaftlichen Werten und Normen nichts anderes als die Interessen der herrschenden Klasse manifestiert:

„Die wirtschaftliche Ausbeutung muß sich metaphysischen Glorienschein zulegen." (8)

Die Werte, metaphysisch verankert, dienen dazu, den Status quo und damit die Position der Herrschenden zu erhalten. Die Werte rechtfertigen die bestehenden Verhältnisse, und ihr Durchsetzen ist das Anliegen derjenigen, die um ihr Herrschaftsmonopol fürchten. *Hauptfunktion der Werte ist die Verteidigung des Privateigentums,* das der Grund aller Unterdrückung und Ausbeutung ist. Kirche und Gott etwa sind „Surrogatwerte" aus dem „Überwert" Privateigentum. So wird das als Beispiel eines möglichen sozialen Tabus angegebene *Eiserne Kreuz* wie folgt auf das Eigentum zurückgeführt:

„Das eigentliche Tabu ist die Furcht, umsonst gekämpft zu haben, gestorben zu sein. Dahinter steckt die Angst vor der Erkenntnis, daß man von oben manipuliert worden ist. Dahinter steht das wirtschaftliche Gefüge, dahinter das Privateigentum."(3)

c. Soziologischer Exkurs: Beurteilung der Ergebnisse

Im großen und ganzen gibt die Vorstellung eines zur Nivellierung neigenden Schichtenkontinuums im annähernden Machtgleichgewicht mit allgemeinem Wertkonsensus, also das *Schichtenmodell,* die Ergebnisse der *westlichen empirischen Soziologie* eher wieder als die im Klassenmodell angelegte Vorstellung einer Klassendichotomie mit Interessen- und Wertkonflikten. „Schicht" wird als rein deskriptiver Ordnungsbegriff verstanden, der auf „objektiven" Schichtmerkmalen wie Beruf, Einkommen usw. beruht. Die Abstufung dieser Merkmale, entweder jedes für sich gesehen oder mehrere zu multiplen Statusindizes zusammengefaßt, ergeben annähernd ein Schichtenkontinuum, das nur am oberen und am unteren Ende ausgeprägtere Stufungstendenzen aufweist. In der breiten, kaum noch geschichteten Mitte ballt sich die große Mehrheit der Statusgruppen zusammen. Diese nach „objektiven" Merkmalen ermittelte Schichtung findet sich auch subjektiv in der Vorstellung eines großen Teils der Bevölkerung wieder: Die durchschnittlich genannten

Stufenzahlen betragen zwischen 3,6 und 4,5[68], also weit über zwei, die typisch für das Klassenmodell sind.

Im Überblick über mehrere Untersuchungen beschreiben *Bolte u. a.* folgenden Statusaufbau der gegenwärtigen Gesellschaft, der auch in der Vorstellung der Bevölkerung erscheint: „Die Verteilung der Bevölkerung im Statusaufbau unserer Gesellschaft entspricht heute ganz offenbar einer Form, die einer Zwiebel ähnlich sieht. 60 v. H. aller Gesellschaftsmitglieder liegen in den breiten – allerdings auch in sich abgestuften – Mittellagen des Statusaufbaus, ca. 15 v. H. schließen sich dicht daran nach unten und oben an, und nur ca. 4 v. H. lassen sich nach unten und sogar nur 1–2 v. H. nach oben als deutliche Enden des Statusaufbaus charakterisieren."[69]

Macht gilt als pluralistisch verteilt und damit beschränkt.

Nach *Bolte* sind „die wirtschaftlich Mächtigen nicht unbedingt die politisch Mächtigen, und im Bereich des kirchlichen Lebens, der Erziehung, der Kunst, des Sports usw. sind es jeweils andere, die den Ton angeben und als sogenannte funktionale Eliten (d. h. als Elite in einem begrenzten spezifischen Leistungsbereich) fungieren."[70]

Außerdem hat die westliche Soziologie auf empirischer Grundlage das Konzept eines gesellschaftlichen Wert- und Normensystems, das auf weitgehendem Konsensus beruht, entworfen. Gleichzeitig wird die empirische Soziologie ein Charakteristikum des Klassenmodells, nämlich die Vorstellung, daß das Wert- und Normsystem zur Stützung der Oberschichten in unserer Gesellschaft dient, bestätigen, wenn sie darin auch nicht die einzige Funktion des Wertsystems sieht. Die Aufrechterhaltung sozialer Werte, die zur Funktion jeder etablierten Elite gehört, bedeutet gleichzeitig die Bewahrung der elitären Position. Dabei aber hält die westliche Soziologie einen gewissen Konsensus über grundlegende Werte und Normen für typisch und auch unentbehrlich für das Bestehen einer Gesellschaft.

Angesichts der Tatsache, daß das Gesellschaftswissen der Schriftsteller in wichtigen Teilen angelesen ist, erhebt sich hier die interessante, gelegentlich untersuchenswerte Frage, inwieweit die *Soziologie* durch ihre *Veröffentlichungen* die *Gesellschaftsvorstellungen* aller oder bestimmter Gesellschaftsmitglieder *beeinflußt* und *ausrichtet*, und evtl. bei späteren Untersuchungen nur noch ihre eigenen Ergebnisse in den Köpfen der Untersuchten ermittelt.

Die 10 Vertreter des *Klassenmodells* beriefen sich mit Vorliebe auf Marx. Dieses Klassenmodell, das in der gegenwärtigen Diskussion von der „kritischen" Soziologie unterstützt wird, beansprucht, „tiefer zu gehen", d. h. es führt alle gesellschaftlichen Phänomene, die von einem „gedankenlosen" oder „bewußtlosen" Großteil der Bevölkerung und von den „bürgerlichen" Soziologen als autonom gesehen oder zumindest nicht in ihren weiteren Abhängigkeiten verfolgt werden (z. B. Werte, Macht,

[68] *K. M. Bolte, D. Kappe, F. Neidhardt:* Soziale Schichtung, Opladen 1966, S. 69, Anm. 142.
[69] Ebd. S. 65 u. 84, Fig. 10.
[70] Ebd. S. 80.

Berufsprestige), auf den scheinbar kleinsten gemeinsamen Erklärungs-
nenner zurück, das Privateigentum.

Sind die wissenschaftlichen Ziele der empirisch-nomologischen und
der kritischen Soziologie auch verschieden, so haben sie doch zumindest
ein gemeinsames Problem: Wie sieht die heutige gesellschaftliche Wirklichkeit überhaupt aus? Im Gegensatz zur empirisch-nomologischen
Soziologie, die sich von der Frage leiten läßt: „Gemäß welchen Gesetzen
kommt es unter welchen Bedingungen zum Auftreten welcher
beobachtbarer sozialer Phänomene? "[71] steht am Anfang einer philoso-
phisch-kritisch verfahrenden Soziologie die... (aus der vorwissenschaft-
lichen Lebens- und Krisenerfahrung einer in sich widerspruchsvollen
Gesellschaft erwachsene) Frage: „Muß es eigentlich so zugehen unter den
Menschen wie es zugeht? ... (Eine solche Frage antizipiert) eine Möglichkeit geschichtlichen Wandels, um weiterzufragen, welche tatsächlich gegebenen Bedingungen deren Verwirklichung   hin-
dern ... Insofern ist die philosophisch-kritische Soziologie angewiesen
auf die Fragestellungen wie auf die Ergebnisse der empirisch-nomologischen Soziologie, da sie diese nicht unter eigener Verantwortung
hervorbringen kann."[72]

Die heutige empirische Sozialforschung präsentiert das Schichtenmodell, aber
auch das Klassenmodell beansprucht, realitätsgerecht zu sein. Ein empirisch
arbeitender Soziologe kann z. B. einwandfrei feststellen, daß keineswegs alle, die in
unseren gesellschaftlichen System Macht besitzen, Eigentümer von Produktionsmitteln sind. Aber auf die Frage, ob nicht jede Macht bei uns mehr oder weniger
verschleiert delegiert ist aus dem Privatbesitz, wird er eine eindeutige Antwort
schuldig bleiben müssen, da dem ungeheuer komplexen Problem „Macht in der
Gesellschaft" nur mit „Spekulation" beizukommen ist, und dies ist nicht sein Fach.
Er bleibt, wie ein marxistischer Soziologe sagen würde, zur Freude der Kapitalisten,
die diese Enthaltsamkeit reichlich belohnen, an der Oberfläche, und mit ihm ein
Großteil der Leute, womit ihr „falsches", durch äußerlichen Schein korrumpiertes
Bewußtsein erklärt wird.

Die Beantwortung der Frage, ob das Schichten- oder das Klassenmodell die Realitäten angemessener wiedergibt, scheitert u. E. heute an
der (vorläufigen) Stumpfheit wissenschaftlich überzeugender Forschungs-
instrumente. Solange die „Schichtensoziologen" z. B. eine mögliche
Bewußtseinsmanipulation empirisch nicht in den Griff bekommen, und
die „Klassensoziologen" z. B. empirische Illustrationen, die sich für eine
Aussage immer finden lassen, mit Verifikationen verwechseln[73], kann

---

[71] *J. Fijalkowski:* Methodologische Grundorientierungen soziologischer Forschung,
in: Enzyklopädie der geisteswissenschaftlichen Arbeitsmethoden, 8. Lieferung:
Methoden der Sozialwissenschaften, München, Wien 1968, S. 134.

[72] Ebd. S. 149/50.

[73] Eben dieses Fehlers macht sich z. B. *Cohn-Bendit* schuldig, wenn er etwa *Beispiele* für eine Sozialforschung „im Dienst der bürgerlichen Zwecke, Geld, Profit
und Aufrechterhaltung der bestehenden Ordnung" als *Beweise* für den kapitalistischen Charakter der heutigen westlichen Soziologie anführt. *D. Cohn-Bendit:*
Linksradikalismus – Gewaltkur gegen die Alterskrankheiten des Kommunismus,
Reinbek 1968, S. 36.

keiner für sich beanspruchen, einen Ausschnitt der gesamten Wirklichkeit angemessen und nachprüfbar beschrieben zu haben. Deshalb müssen wir uns in der Beschreibung der sozialen Wirklichkeit vorläufig mit den oft kümmerlichen, oberflächlichen (dabei immer als Annäherungswerte deklarierten) Ergebnissen der empirischen Sozialforschung zufriedengeben. Ideologische Unabhängigkeit und ·methodische Phantasie, verbunden mit methodischer Zuverlässigkeit, sind nötig, um tiefer zu tauchen, und vielleicht das zu beweisen, was die „Klassen"soziologie im Vorgriff schon lange weiß.

3. Die Differenziertheit der Gesellschaftsbilder und ihre Verteilung auf freie und berufstätige Autoren

Die dieser Untersuchung zugrunde liegende Hypothese unterstellte, daß die berufstätigen Schriftsteller über ein differenzierteres soziales Wissen verfügen als die freien. Sie zu überprüfen bedeutet, daß Kriterien für die Differenziertheit von Gesellschaftsbildern gefunden werden müssen. Hier ist zu fragen, a) inwieweit die Gesellschaftsbilder der komplexen sozialen Realität gerecht werden, also nicht *zu sehr* vereinfachen und b) inwieweit sie dabei dennoch eine bestimmte Gestalt annehmen, die eine Orientierung erlaubt.

Zu a): Es sind die Menge und Vielfalt der Aspekte und Ansätze zu berücksichtigen, die der Befragte im Hinblick auf die soziale Wirklichkeit brachte. Dazu gehören auch die Zahl der genannten oder herauslesbaren möglichen Abstufungs- und Mobilitätskriterien und die Anzahl der bezeichneten Abstufungen[74]: Je größer die Zahl der genannten, die Gesamtgesellschaft betreffenden Abstufungen, desto differenzierter das Bild, weil eine hohe Zahl benannter Schichten einen großen sozialen Überblick und einiges Differenzierungsvermögen voraussetzen. In dieser Hinsicht ist das Zwei-Klassen-Modell nur dann differenziert, wenn innerhalb der zwei Klassen noch Abstufungen gesehen werden, gleichgültig, ob sie auf ein „falsches Bewußtsein" zurückgeführt werden oder nicht.

Zu b): Hierher gehört die Frage, ob der Interviewte seine Ansätze in eine gewisse Ordnung bringen kann, ob seine Vorstellung Gestalt annimmt oder sich in unzusammenhängende Stücke auflöst.

Zwischenergebnis: Am Teilkriterium „Anzahl der Schichten" gemessen ist das Gesellschaftsbild der Autoren im Durchschnitt weniger differenziert als das der übrigen Bevölkerung. Der Durchschnitt der angegebenen Schichten beträgt bei den Schriftstellern 2,65 (freie: 2,66; berufstätige: 2,63), bei der Gesamtbevölkerung zwischen 3,6 und 4,5,

[74] Moore und Kleinig stellen einen Mangel an Übereinstimmung zwischen der spontan genannten Anzahl der Schichten und ihrer Bezeichnung fest; vgl. *H. Moore, G. Kleinig:* Das Bild. der sozialen Wirklichkeit, in: Kölner Zeitschrift für Soziologie und Sozialpsychologie, Bd. 11/1959, S. 371. Das trifft für unsere Untersuchung in keinem Falle zu: Die Schriftsteller nannten zuerst bestimmte Schichten und dann erst, ihre eigenen Angaben zählend, die Zahl.

wie drei Untersuchungen ergaben[75]. Auch die Durchschnittszahl der von den Literaten genannten oder in den Schichtbezeichnungen enthaltenen Statuskriterien ist auffallend niedrig: 1,7 (eine Vergleichszahl aus einer Bevölkerungsstichprobe ist uns nicht bekannt).

Für den *Vergleich* der Gesellschaftsbilder von freien und berufstätigen Autoren wurden die entsprechenden Interviewantworten auf mögliche Differenzierungsindikatoren und deren Kombinationen durchgesehen. Ein relativ *differenziertes Gesellschaftsbild* ist durch folgende Merkmale gekennzeichnet: Es enthält mehr als zwei Abstufungen (wenn sie vielleicht auch nicht ausdrücklich bezeichnet, sondern nur in ihrer Möglichkeit angedeutet sind) und mehr als ein Abstufungskriterium.

Die *Machtverhältnisse* werden als pluralistisch verteilt angesehen (wenn sie auch „letztlich" aus einer Institution delegiert sein mögen); mehrere mögliche Machtträger werden genannt. Neben der Sicherung von Oberschichtspositionen werden den sozialen Werten und Normen noch weitere Funktionen zugesprochen. Dieses Gesellschaftsbild zeichnet sich im ganzen durch eine gewisse Beweglichkeit der Betrachtungsweise und Vielfalt der Aspekte aus.

Das relativ *undifferenzierte Gesellschaftsbild* hat in unserem Zusammenhang folgende Merkmale: Es enthält nur *zwei* bezeichnete Abstufungen oder gar keine (d. h. aus den Andeutungen war kein Hinweis auf eine mögliche Ordnungsvorstellung zu ersehen) und nur *ein* relevantes Abstufungskriterium (als hier nicht relevant betrachten wir z. B. die Unterscheidung Einheimische–Flüchtlinge). Als undifferenziert gilt hier auch die Vorstellung einer vollkommenen Nivellierung, die alle sozialen Unterschiede aufgehoben hat, aber auch die Meinung, daß es überhaupt keine soziale Mobilität bei uns gibt. Die Macht wird entweder übersehen oder *ohne Einschränkungen* mit dem Privateigentum gleichgesetzt. Den gesellschaftlichen Werten wird entweder gar keine oder nur eine *einzige* soziale Funktion zugesprochen, nämlich die Festigung der herrschenden Positionen. Dieses relativ pauschale Gesellschaftsbild stellt jeweils nur einen einzigen Aspekt dar und nimmt damit entweder eine zu sehr vereinfachende oder gar keine Gestalt an.

Ergebnisse: Das relativ differenzierte Gesellschaftsbild findet sich bei 6 berufstätigen und 8 freien Schriftstellern, *insgesamt 14;* das relativ undifferenzierte vertreten 7 berufstätige, 6 freie und 3 studierende Autoren, *insgesamt 16.* Dieser Vergleich zwischen freien und berufstätigen Schriftstellern nach der Differenziertheit ihrer Gesellschaftsbilder bringt keine für uns signifikanten Unterschiede, wenn auch einige Tatsachen bemerkenswert sind: Alle drei Studenten und alle vier Autoren, die früher über eine lange Zeit eine Angestelltenposition hatten, verraten ein undifferenziertes Gesellschaftsbild, während fast alle Autoren, die nie einen „bürgerlichen" Beruf ausübten, ein differenziertes Gesellschaftsbild zeigen.

Die Annahme, daß die sozialen Erfahrungen aus einem Nebenberuf die Gesellschaftsvorstellungen der Schriftsteller differenzieren, bleibt also unbelegt. Entweder hat gesellschaftliche Isolierung oder Integration nichts mit der Differenzierung eines Gesellschaftsbildes zu tun, oder, was uns wahrscheinlicher erscheint, die Unterschiede in der sozialen Situation des freien und des berufstätigen Schriftstellers sind nicht groß genug, um

---

[75] *K. M. Bolte, D. Kappe, F. Neidhardt,* a.a.O., S. 69, Anm. 142.

sich in der Differenziertheit der Gesellschaftsbilder niederzuschlagen: Wie sich zeigte, sind auch die berufstätigen Literaten bis zu einem gewissen Grad gesellschaftlich isoliert; die Außenseiterposition scheint über die Berufsposition zu dominieren, sie ist der Ausgangspunkt der sozialen Erfahrung des Schriftstellers[76], und die integrierenden Kräfte des Nebenberufes reichen nicht aus, die Gesellschaftsbilder in ihrer Differenzierung zu beeinflussen.

König und *Silbermann* unterscheiden hypothetisch zwischen Neben- und Unterrollen von Künstlern[77]. In unserem Zusammenhang ergaben sich Anzeichen, daß der Nebenberuf für Schriftsteller wirklich nur eine Unterrolle darstellt (Hauptindikator: Sie würden ihren Beruf sofort aufgeben, wenn sie es sich finanziell leisten könnten). Als Unterrolle integriert der Nebenberuf nur halb: Die Außenseiterstellung wird nur zu einer *Randseiterposition*. Diese Tatsache ist auch bei der Betrachtung der bei den jungen Schriftstellern vorhandenen Ideologien zu berücksichtigen.

IV. Die Ideologien junger Schriftsteller

1. Kontrakulturelle Elemente

Bevor die verschiedenen ideologischen Konzepte der Schriftsteller ausgebreitet werden, ist eine Charakterisierung ihrer Grundeinstellung gegenüber dem gegenwärtigen gesellschaftlichen Ganzen nötig. Erst auf dieser Basis, die bei allen Schriftstellern erstaunlich ähnlich ausgebildet ist, wird die Art der voneinander ziemlich verschiedenen ideologischen Konzepte völlig verstehbar.

Die Formulierung der Interviewfragen 13 („. . . Unbehagen . . .“), 14 („. . . ewige Werte . . .“) und 15 (der Begriff „Tabu“) war darauf abgestimmt, eine gewisse emotionale Reaktion auszulösen, die ihren Ausdruck finden sollte in einer begründeten Zustimmung oder Ablehnung der unterstellten Einstellung „Unbehagen an der Gesellschaft“.

Alle Befragten ließen das Wort „Unbehagen“ als Ausdruck ihrer eigenen Attitüden gelten (wenn auch einige das Wort für viel zu abgegriffen und deshalb ziemlich sinnentleert hielten, und andere meinten, der Ausdruck sei viel zu milde). Beinahe alle gaben, bevor sie auf ihr Unbehagen zu sprechen kamen, zu erkennen, was sie unter „Gesellschaft“ verstehen. Die einen gebrauchten Worte wie „alle“, „die Leute“,

[76] Das Interview sprach die Schriftsteller als Schriftsteller an. Es mag sein, daß eine Untersuchung, die die entsprechenden Autoren in ihren Berufen angesprochen hätte, mehr berufsspezifische soziale Erfahrungen zutage gefördert hätte.
[77] R. *König* und A. *Silbermann*, a.a.O., S. 40.

„die Allgemeinheit", „die Menschheit", „die Umgebung", „wir"; die anderen, und zwar besonders die marxistisch Inspirierten, verstanden unter Gesellschaft weniger die Leute, die leibhaftig eine Gesellschaft bilden, als in abstracto die „gesellschaftlichen Verhältnisse", die durch bestimmte, negativ aufgeladene Attribute charakterisiert wurden.

Zur Begründung ihres Unbehagens an der heutigen Gesellschaft weisen die jüngeren Schriftsteller auf die gegenwärtige gesellschaftliche Struktur hin, und zwar vorerst weniger ausdrücklich auf die Art der strukturellen Ausformung als auf ihre Tendenz zu erstarren, sich institutionell festzufahren. Die Autoren bekunden Unbehagen an der gegenwärtigen Gesellschaftsordnung, weil diese „Ordnung", die nur eine – und keineswegs die beste – Möglichkeit unter vielen ist, in ihrem Status quo zunehmend versteinert. Der Vorgang und der Zustand des gesellschaftlichen *„Establishments"* ist der Grund ihrer Unzufriedenheit und Verbitterung.

Der Begriff „Establishment", der in der letzten Zeit zum Leitwort aller Aufbegehrenden und deren Referenten wurde, ist, seiner oft ziellosen, emotionsgeladenen Anwendung entsprechend, vieldeutig. Soziologisch übersetzt umfaßt er hier – in negativer Wertung – im weiteren Sinne die säuberlich gegliederte, einstellungsmäßig einheitlich ausgerichtete, „formierte", sich selbst kontrollierende Gesellschaft mit all ihren festgefahrenen und intolerant durchgesetzten Rollenerwartungen, die die freizügige Selbstentfaltung des Individuums unterdrücken, im engeren Sinne den Herrschaftsapparat, die Herrschenden, die deshalb, weil sie herrschen, die gegenwärtige gesellschaftliche Ordnung als die beste, einzig mögliche deklarieren und zwangsweise durchsetzen, im Namen des Volkes intolerante Phrasen dreschen und Ruhe für die erste Pflicht der Untergebenen halten. Sozialpsychologisch interpretiert enthält der Begriff „Establishment" hier den Vorwurf einer bestimmten Haltung, die eine Mischung aus Angst und Selbstzufriedenheit darstellt und sich am deutlichsten im bekannten, von oben ausgegebenen und von unten akzeptierten Slogan „Keine Experimente" widerspiegelt. Insofern meint „Establishment" die „Spießer", „Kleinkarierten".

Im Vergleich zu diesem relativ umfassenden Establishmentbegriff der Schriftsteller ist der Begriff, der heute die einschlägige Diskussion beherrscht, sehr viel enger gefaßt: Zum Establishment zählt „jeder, der in Politik, Wirtschaft, Kirchen, Verbänden, Massenmedien und all den anderen Institutionen unseres pluralistischen Systems Verantwortung trägt"[78]. Oder, aus einem anderen Blickwinkel: „Das Establishment ist der Konventionszusammenhang der gesellschaftlichen Machteliten, in dem die kapitalistische Unternehmerschaft als einziges organisiertes Klassensubjekt heute bestimmenden Einfluß auf den geschichtlichen Entwicklungsgang nimmt, solange weder eine sozialistische Partei noch die Gewerkschaften ein wirkungsvolles, ausführbares Gegenkonzept vertreten."[79]

In einem Atemzug mit „Establishment" wird von den Schriftstellern der Begriff *„Restauration"* gebraucht im Sinne von „Establishment nach

---

[78] *H.-J. Winkler* mit *H. Bilstein* (Hrsg.): Das Establishment antwortet der APO, Opladen 1968, 2. Aufl., (Veröffentlichung der Akademie für Wirtschaft und Politik, Hamburg), S. 7.

[79] *Eug. Kogon:* Klassen und Revolution im Denken der „Neuen Linken", in: *E. K. Scheuch* (Hrsg.): Die Wiedertäufer der Wohlstandsgesellschaft, Köln 1968, S. 93.

rückwärts", langsamem Einpendeln in vordemokratische Zustände (Involution), wachsender Autoritätssucht unten, bewußter Verdummung und Manipulation von oben, Überdruß an demokratischen Verfahrensweisen usw. Immer wieder klang in den Antworten der Autoren Erschrecken durch über die Stagnation, die Leblosigkeit der Gesellschaft, die unbehagliche Grabesstille nach einer abgestorbenen Diskussion, über das trostlose Trugbild der Konfliktlosigkeit, das die Gesellschaft so unangreifbar macht:

„Das Unbehagen ist da, nicht, daß man mit der Gesellschaft unzufrieden ist, sondern weil man zufrieden ist. Es gibt keine Ansatzpunkte mehr, um das wirklich Entscheidende zu formulieren. Kein Zufall, daß sich die Parteien so angleichen, daß alle dasselbe wollen, alles auswechselbar ist." (1)
„. . . Unbehagen an der Gesellschaft, die auf der Stelle tritt, und zwar nicht nur die westliche Gesellschaft. Seit 1945 ist das Establishment hüben und drüben darauf aus, die bestehenden Verhältnisse beizubehalten. Die Gesellschaft soll so gehalten werden wie sie ist. Ich habe kein ideologisch eingefärbtes Unbehagen, antikommunistisch oder antikapitalistisch, sondern ein Unbehagen an der Restauration hüben und drüben. Darin hat Mao recht! . . . Auffallend ist die vorläufige Aussichtslosigkeit all derer, die an den bestehenden Verhältnissen etwas ändern wollen. Es ist ein Anrennen gegen festverzahnte Machtverhältnisse. Die Kommune hier: die einzige Reaktion, die ihnen die Gesellschaft übrigläßt, ist die Bombe; denn die Argumente werden ihnen aus der Hand geschlagen." (9)
„Mein Unbehagen, das ist Wut bis zur Resignation über die in der Wurzel völlig un- bis antidemokratische Haltung des deutschen Durchschnittsbürgers gegenüber jeder Art von Minorität."(12)
„Die Angst, daß die Demokratie rückläufig ist . . . Die Gesellschaft ist immer mehr autoritär und formiert . . . die Eliminierung der Intelligenz aus der Verantwortung . . ." (14)
„Der Ansatz 1945, das andere Verhältnis Volk—Staat—Bürger wurde Schritt für Schritt nach wenigen Jahren wieder getötet. Ein beständiger Rückzug findet statt auf die Verhaltensweisen des Staatsbürgers in vordemokratischer Zeit . . . Wir sind einer zunehmenden Autorisierung des Staates ausgesetzt . . . Ein großer Teil der Deutschen hat eine Mentalität, die der Aufklärung abgeneigt ist. Sie sind nicht offen für Gründe, sondern folgen Vorurteilen. Es besteht ein Hang zur Unterdrückung, Intoleranz, keine Neigung, mit anderen umzugehen, zu tolerieren. Beim Umgang mit oben, dem Staat: die Aussage der Polizei hat immer Primat; von der anderen Seite nicht, weil es keine Instanz ist."(17)
„. . . Die Demokratie hat noch keinen Boden; Autoritäten, Hierarchie sitzen noch tief . . . Ich spüre die unheimliche Starre der bürokratischen Apparatur . . . meine Furcht, die Demokratie bei uns könnte enden in einer etablierten, geschlossenen Gesellschaft . . ." (18)

Als Erklärungsmuster für o. a. Meinungen der Befragten kann wieder das Konzept der Kontrakultur nützlich sein, das schon anläßlich der literarischen Einstellung der Autoren eingeführt wurde. Ein Vergleich der sozialen Einstellung der heutigen Schriftsteller mit der Bohèmekultur des 19. Jhs. verdeutlicht den Unterschied zwischen künstlerischer Kontrakultur und Subkultur.

Unter der Bohème des 19. Jhs., „der spätromantischen Form der Wirtschaftsenthobenheit"[80], schien die Tendenz vorzuherrschen, sich vor den banalen Ansprüchen
der bürgerlich geprägten sozialen Wirklichkeit in den berühmten Elfenbeinturm
zu flüchten. Freilich wurden die bürgerliche Langeweile, der Utilitarismus, die
Mittelmäßigkeit, die Unsensitivität einer Gesellschaft der „goldenen Mitte" ange-
prangert, der „heilige Krieg gegen die Spießer"[81], die in einer „collection of ugly
details"[82] untergingen, wurde ausgerufen, aber in der eigentlichen Bohèmesubkultur
manifestierten sich keine politisch-sozialen Gegenwerte, sondern eigene, esoterische,
„höhere" Werte wie gelebte Schönheit, Extravaganz, Innerlichkeit, quasireligiöser
Geniemythos, die weit abseits vom bürgerlichen Wertsystem lagen. „Der Bourgeois
ist arm an Kunstsinn, an Empfindung, Erziehung, Lebensart, eigentlicher
letzter Eleganz. Er ist letztendlich Analphabet, Banause, Böotier . . ."[83]

Mag auch die Grundlage dieser Subkultur eine diffuse antibürgerliche Haltung
gewesen sein, so war doch das Resultat weniger ein Gegenbild der Hauptkultur
innerhalb dieser Kultur als ein völlig unabhängiges, neben der Hauptkultur liegendes
Wertsystem, das Ergebnis eines Rückzuges. Politische Betätigung war nach
R. Michels kein Bestandteil der Bohèmekultur, sondern stellte nur eine untypische
Form der Flucht nach vorn dar: „Ein anderer Ausweg (neben der Sehnsucht nach
Sicherheit, festen Stellungen) aus der Bohème bildet die Politik. In der Regel gehört
die Politik zu den Gebieten, die der Bohème als seiner Aufmerksamkeit schier
unwert betrachtet. Der echte Bohème ist „Anarchist". Indes konnte man gerade in
den besten Jahren der Bohème in Frankreich 1830—48 in den ihr gehörigen Kreisen
das Aufkommen politischer Leidenschaft verspüren. Die Sorglosigkeit der Bohème
wurde in jenen Jahren auf eine zu harte Probe gestellt. So trat mancher Bohème
zum Typus des Refractaire . . . über, warf das Samtbarett weg und setzte sich statt
seiner die phrygische Mütze auf. Das war der Politisierungsprozeß der Bohème. Er
zog indes nur einen Bruchteil in seinen Strudel. Die Mehrzahl blieb dem „Anarchis-
mus", bisweilen im störrischen Sinne, treu."[84]

In der einstigen Bohèmekultur überwogen die subkulturellen
Elemente, in der Werthaltung des *zeitgenössischen jungen Schriftstellers*
in der BRD-dagegen die kontrakulturellen. *Er zieht sich nicht aus der
Gesellschaft zurück, sondern es ist heute ein Teil der schriftstellerischen
Gruppennorm, der als träge empfundenen Gesellschaft provozierend und
verändernd auf den Leib zu rücken.* Statt „Ordnung", Sicherheit, Selbst-
verständlichkeit, Bewahrung propagiert der Literat Zweifel, Destruktion,
Sich-Nicht-Zufrieden-Geben, Veränderung.

Kritikbereitschaft ist für die Autoren die erste Bürgerpflicht. Die
„Umwertung aller Werte", die allenthalben bedauert und bekämpft wird,
erscheint dem Schriftsteller höchst notwendig und wünschenswert. Er
widerspricht einer weitverbreiteten Werthaltung, die in „der maßlosen
Kritiksucht der Gegenwart" den Anfang allen Übels sieht. *Der Autor
begreift sich als Mitglied einer demokratischen Gesellschaft, die, um
demokratisch zu bleiben, sich selbst gegenüber skeptisch sein muß.* Er

[80] *R. König* und *A. Silbermann*, a.a.O., S. 90.
[81] *G. Pelles*, a.a.O., S. 36 und 84.
[82] *C. Grana*: Bohemian versus Bourgeois, New York, London 1964, S. 208.
[83] *R. Michels*, a.a.O., S. 805.
[84] Ebd., S. 813.

möchte als radikaler, unbequemer Demokrat in die Gesellschaft aufgenommen werden · — und dieses dauernde Herausfordern und Bekritteln scheint die Leute zu veranlassen, ihn in eine Außenseiterposition zu zwingen, was wiederum zu seinem Unbehagen beitragen dürfte.

Wenn man sich der Einteilung der sozialen Normen von *Ph. Lersch* in a) *konventionelle Normen* (Selbstverständlichkeiten, Sitte usw.), b) *institutionelle Normen* (gesetzte Ordnungen, rational begründbare Regelungen) und c) *ideelle Normen* (letzte und höchste Werte des Sinnes, Glaubens) bedient[85], so wird deutlich, daß die Schriftsteller nur einige institutionelle Grundnormen für sich und andere als nötig und verbindlich anerkennen. Von den unzähligen konventionellen Normen des Alltags fühlen sie sich nicht berührt, sie setzen sich nicht ausdrücklich von ihnen ab, sie finden sie gelegentlich sogar recht praktisch. Diese Normen sind ihnen oft einfach gleichgültig.

Bei der Befragung erregte dagegen das Stichwort „*Werte*" im Sinne grundlegender sozialer Verpflichtungen, besonders mit dem Zusatz „ewig", einige Aufmerksamkeit und großes Engagement. Kein anderes Thema, außer dem literarischen (Frage 21), hat unter den Autoren solch ähnliche Stellungnahmen hervorgerufen: *eine in ihrer Tendenz kontrakulturelle Gruppenkonformität!*

Das Konzept der Kontrakultur kann sich nur als sinnvoll erweisen im Zusammenhang und vor dem Hintergrund der Hauptkultur. Was aber ist der Hauptinhalt der Hauptkultur in der BRD? Von wie vielen wird sie vertreten? Wo ist sie empirisch greifbar? Diese Fragen sprengen den Rahmen der vorliegenden Arbeit. Nur ganz pauschal können deshalb einige Hinweise gegeben werden: Nicht nur die, die im Namen des Volkes sprechen, sondern auch ein Großteil des Volkes selbst scheint der selbstverständlichen Überzeugung zu sein, daß ein allgemeiner, möglichst viele Werte umfassender Wertkonsensus unter den Gesellschaftsmitgliedern wünschenswert und auch notwendig sei. Bestimmte Grundwerte — etwa Freiheit, Gerechtigkeit, oder auch das Schöne, Gute — werden als immer und überall gültig betrachtet. Nun stellen die kontrakulturell eingestellten Schriftsteller natürlich keine abstrakten Gegenwerte wie Unfreiheit, Ungerechtigkeit auf, obwohl es vielen, die die Idee mit ihrer Verwirklichung verwechseln, vielleicht so scheinen mag. Vielmehr weisen die Autoren den dogmatischen Anspruch der Folgewerte, die aus den abstrakten Grundwerten mit großer Selbstverständlichkeit abgeleitet werden, zurück; so etwa, wenn ein starrer, aggressiver Antikommunismus im Namen der „Freiheit" auftritt oder „Pornographie" als etwas angesehen wird, was den im gesunden Volksempfinden manifestierten abendländischen Werten des Guten und Schönen widerspricht. Die Schriftsteller plädieren für die Destruktion eines erstarrten Wertsystems, das, die Idee mit ihrer Verwirklichung verwechselnd, dogmatisch und, wie sie sagen, fast terroristisch auftritt und mit dem Anspruch ungebrochener Gültigkeit lückenlose Konformität erzwingt. Dabei sind sich die Literaten darüber klar, daß sie keine Patentlösung liefern können, oder, besser gesagt, jede Patentlösung ist ihnen verdächtig, weil sie ihrem Wesen nach Reduktion der Alternativen ist, als geistige Einengung und Stillstand falsch sein muß.

---

[85] *Ph. Lersch:* Der Mensch als soziales Wesen, München 1964, S. 105—113.

Nicht ein möglichst ausgedehnter Wertkonsensus, sondern eine möglichst große Vielfalt einander befruchtender Werthaltungen schwebt den Schriftstellern vor. Viele der heute geltenden Werte sind in ihren Augen relativ, austauschbar, in ihrer Handhabung größtenteils anachronistisch und verlogen. Für das gesellschaftliche Zusammenleben reicht ihnen ein weitmaschiges Netz zentraler, praktischer, nicht im Transzendenten verankerter Werte aus. *Grundsätzlich aber gelten Kritik, Auseinandersetzung, Abbau der Selbstverständlichkeiten als demokratische Hauptwerte:*

„Ich halte gar nichts davon, daß Werte und Normen für alle verbindlich sein sollen. Jedes Naturell, ausgenommen Extremfälle, wählt für sich selber eine verbindliche Wert- und Normordnung. Deshalb kann man auf Verordnung, Tabuisierung von oben verzichten. Die Wertvorstellungen müssen immer wieder überprüft und neu gewählt werden: das ist das demokratische Zugeständnis; es steht im Widerspruch zu der Gesellschaft, in der wir leben . . . Werte sind gesellschaftliche Druck- und Machtmittel, dienen der Privilegienbewahrung, ein Mittel, die Etablierung nicht zu verlieren . . . Sie argumentieren mit solchen Unbewegbarkeiten wie ethischen Kategorien . . ." (17)
„Die sogenannten traditionellen Werte der heilen Welt gelten für mich nicht, sie zählen nicht mehr, ist längst vorbei. Das Schlimme ist: Man tut so, als sei es nicht vorbei. Wenn all die hochgehaltenen Werte nicht reflektiert werden an Auschwitz, Vietnam usw., dann sind sie einfach hohle Ballons. Wir brauchen ein sehr komplexes Bewußtsein für unsere Zeit . . . Ich bestehe darauf: Die einzige Moral ist selbständiges, bohrendes Denken . . . Ein Ernstnehmen der Demokratie bedeutet Auseinandersetzung, das ist ein Wert . . . Bei transzendenten metaphysischen Werten bin ich vorsichtiger; nur: Institutionelle Werte helfen uns heute nicht mehr. Kritik ist nicht nur Auflösung; aber es täte uns außerordentlich gut, wenn wir Kritiker von Format vertrügen und nicht als Pinscher beschimpften." (18)
„Der Bestand der Gesellschaft ist nicht von Werten und Normen abhängig, sondern daß ich sie mit Kritik dauernd prüfe. Werte bedingen sich durch Tradition. Das Schöne, Wahre, Gute, das für meinen Vater noch sicher war, ist im Gasofen umgekommen." (22)
„Die heute angebotenen Werte haben keine utopische Ausrichtung, sondern eine restaurative, d. h. sie sind ausgeborgt bei vergangenen Gesellschaften und sind der industriellen Gesellschaft nicht angemessen, so daß sie notwendig in eine Schizophrenie hineinführen . . . Sie scheinen mir künstlich zu sein, von den steuernden Leuten her mit kleinbürgerlich autoritärer Ordnungsvorstellung." (26)

Alle Befragten halten soziale Normen, soweit sie sich auf das praktische Zusammenleben beschränken, für nötig. Die Weigerung aber, sich zu den „höheren" sozialen Werten zu bekennen und etwa in diesem Sinne durch ihre Literaturproduktion integrativ auf die Gesellschaft zu wirken, ihre destruktive Haltung gegenüber diesen „selbstverständlichen" Werten trägt ihnen die bekannten Vorwürfe ein: „bindungslose Zerstörer", „Unruhestifter", „Leute, denen nichts mehr heilig ist", „Nihilisten", „Anarchisten", „Nestbeschmutzer" oder ganz schlicht „Schweine", gegen die sich das gesunde Volksempfinden wehrt. Bei einem Teil der Bevölkerung verbinden sich diese Assoziationen mit dem

Wort „Literaten" oder „Intellektuelle". Die Voraussetzung aber für eine soziale Integration der Schriftsteller wäre ihre kulturelle Integration, d. h. die Hereinnahme der schriftstellerischen Kontrakultur in die Hauptkultur, eine gegenseitige Ergänzung beider.

Als weiterer Beleg der schriftstellerischen Kontrakultur sei noch die Einstellung der Autoren gegenüber der *Familie* als „Keimzelle der Gesellschaft" erwähnt. Nur 2 Befragte finden, daß es an der Zeit sei, die Familie aufzulösen und die Aufzucht und Erziehung der Kinder in Heimen vorzunehmen. Die anderen schreiben der Familie ganz sachlich einige wichtige Funktionen zu, z. B. die der Sozialisierung (Einübung in soziales Verhalten). Aber alle wehren sich heftig gegen die verbreitete sentimentale, keinen Widerspruch duldende Mythisierung der Familie, gegen eine Familie, die als Wert für sich, die verlogen als Heiligtum des Glückes und der Zufriedenheit deklariert wird.

Der Ausdruck „Keimzelle der Gesellschaft" wird anerkannt, insofern er nichts anderes ist als die sachliche (wenn auch nicht glücklich formulierte) Beschreibung eines gültigen Tatbestandes. In diesem Sinne kann die Familie als „kleinstes politisches Kollektiv" (7) auch die „Keimzelle der parlamentarischen Demokratie" (22) sein. Sobald aber die Familie mehr ist als „eine zufällige Gemeinschaft als Schutz für das Kind" (25), sobald sie − und das steckt für die meisten der Befragten im Ausdruck „Keimzelle der Gesellschaft − ein „verwaschener Mythos" (28), der sozialen Zwang ausübt, „eine Legende" (18) oder ein „scheinheiliges Postulat" (7) wird, verweigern die Schriftsteller ihre Zustimmung:

> „Es ist schwer, die biologischen Notwendigkeiten, Aufzucht der Kinder, von dem Überbau zu lösen, daß Ehen im Himmel geschlossen werden, daß man sich lieben müsse usw." (16)

Die Ehe wird als höchst private Vereinbarung zwischen zwei Individuen verstanden, mit der Staat und Kirche nichts zu tun haben:

> „Die Verschärfung der Ehegesetzgebung ist ein Ausdruck dafür, daß sich das Etablierte im Pseudosittengesetz an der Macht hält." (17)

Auf die Frage, ob die Scheidung erleichtert werden solle, antworteten 25 der 30 Befragten mit Ja (meist hieß es: „Aber natürlich"), und nur 3 mit Nein (2 zeigten kein Interesse für die Frage). Mit dieser Meinung dürften die Schriftsteller dem Großteil der Bevölkerung widersprechen:[86]

> „Die Leute müssen so weit kommen, daß eine Scheidung gefeiert wird wie eine Hochzeit. Das setzt voraus, daß man sich im Guten trennt, und setzt voraus, daß eheliche Beziehungen erschöpfbar sind." (9)

Zusammenfassung: Die kontrakulturellen Elemente, die sich in den Einstellungen der Schriftsteller finden, bestehen nicht in der Ablehnung der abstrakten Grundwerte der gegenwärtigen Gesellschaft, sondern nur

[86] S. *Jahrbuch der Öffentlichen Meinung 1958–64*, Allensbach und Bonn 1965, S. 589.

in den starken Vorbehalten gegen deren weit verbreitete zeitgenössische Interpretation, die sich sehr oft dogmatisch und pathetisch als die einzig mögliche und richtige begreift und in ihrer selbstzufriedenen Erstarrung jeden Zweifel, jede Auseinandersetzung mit Hilfe von negativen Sanktionen (z. B. auch soziale Isolierung) zu unterdrücken sucht. *Die jungen Schriftsteller wenden sich gegen eine Auffassung von Freiheit, die sich als Befreiung von der Auseinandersetzung versteht und Konflikt nur zuläßt, wenn es z. B. gegen die „Unfreiheit im Osten" geht.* Dem selbstverständlichen Bestehen auf dem politisch-sozialen Status quo, der mit „Ordnung" gleichgesetzt wird, stellen die Schriftsteller ihre, wie sie sagen, demokratischen Werte wie Unruhe, Kritik, Auseinandersetzung, Veränderung entgegen.

2. Die politisch-sozialen Ideologien

Alle befragten Autoren bekunden, wie bereits gezeigt, ein mehr oder weniger ausgeprägtes Unbehagen an der gegenwärtigen Gesellschaft. Dieses Unbehagen ist kein zielloser Gemütszustand, sondern meint sein Objekt ziemlich genau zu kennen: nämlich eine gewisse, von oben forcierte Haltung des Bürgers, die die sozialen Verhältnisse, besonders die Herrschaftsverhältnisse, durch Desinteresse und unreflektierte Anerkennung zementiert und den Status quo mitsamt seinen erheblichen Mängeln und anachronistischen Werten undiskutiert und in blinder Intoleranz mit „Ruhe und Ordnung" gleichsetzt.

Alle Autoren treten für eine mehr oder weniger grundlegende *politisch-soziale Veränderung* ein und dürften damit im Widerspruch stehen zur Haltung weiter Teile der westdeutschen Bevölkerung, und zwar Veränderung in Richtung einer „echten, uneingeschränkten Demokratie", eine durchgehende Zielvorstellung, die, wie sich zeigen wird, inhaltlich unterschiedlich ausgelegt wird. Keiner hält eine „echte" Demokratie in der Bundesrepublik faktisch für verwirklicht, wohingegen die meisten das *Grundgesetz* (die Befragung fand noch vor der Verabschiedung der Notstandsgesetze statt) als guten Entwurf und geeignete Grundlage einer möglichen Demokratie anerkennen.

Im Zusammenhang mit der Hypothese, daß sozial isolierte Schriftsteller zu progressiven Ideologien neigen, wurde Progressivität definiert als politischer und sozialer Veränderungswille, der über den Status quo und seine Vergangenheit hinausgelangen möchte. Insoweit vertreten alle Autoren, berufstätige und freie, progressive politisch-soziale Ideologien.

Wie schon gezeigt wurde, trägt der Nebenberuf offensichtlich nicht allzu viel zur faktischen sozialen Integration eines Schriftstellers bei. Die soziale Situation des *Außenseiters* (als freier Schriftsteller) oder *Randseiters* (als nebenberuflich Tätiger) dürfte der Nährboden für progressive

Ideologien sein und läßt offensichtlich konservative, auf den gegenwärtigen sozialen und politischen Gesamtzuständen bestehende Ideologien nicht aufkommen. Nun ergibt aber ein Überblick über die progressiven Ideologien der Befragten merkliche Unterschiede im *Grad* der Progressivität. Unterscheiden sich darin die Außenseiter von den Randseitern?

Nach dem Ansatzpunkt der Veränderung und ihrer erwünschten Richtung sind drei klassifikatorische Typen[87] von Ideologien zu unterscheiden, die aus den Antworten (besonders auf Frage 19) herauszulesen sind:

– der *pluralistisch-demokratische Typ,*
– der *sozial-demokratische Typ,*
– der *sozialistisch-demokratische Typ.*

Diese Kategorien, die sich nach *einer* Dimension ordnen, nämlich nach ihrem Verhältnis zum Privateigentum an Produktionsmitteln, stellen eine Art Kontinuum der Progressivität dar. So treten die Anhänger des 1. Typs für eine ungefähre Beibehaltung des Eigentums in der heutigen Form ein; nur nach unten und oben sollen dem Eigentum Grenzen gesetzt werden. Die Vertreter des 2. Typs plädieren für eine entschlossene Um- und Neuverteilung und die des 3. Typs für die Abschaffung bzw. Verstaatlichung des Privateigentums an Produktionsmitteln.

Es wird deutlich, wie aktuell bei den Befragten das seit Marx diskutierte Problem des Privateigentums ist. Eine Auseinandersetzung mit diesem Problem scheint allen Schriftstellern unumgänglich zu sein, und dürfte einen wichtigen Bestandteil der schriftstellerischen Eigenkultur darstellen. Im folgenden sollen die einzelnen Typen näher betrachtet werden[88].

a. Der pluralistisch-demokratische Typ

Der Begriff *pluralistisch* soll eine Einstellung kennzeichnen, die auf dem Grundprinzip *sozialer* und *politischer Vielfalt* und *Gleichberech-*

---

[87] Vgl. dazu die Beschreibung der drei Hauptarten von Typusbegriffen: klassifikatorische Typen, Extremtypen, Idealtypen bei *K. G. Hempel:* Typologische Methoden in den Sozialwissenschaften, in: *E. Topitsch* (Hrsg.): Logik der Sozialwissenschaften, Köln, Berlin 1965, S. 86 ff.

[88] Notiz in der „Welt" v. 14. 3. 69: „Der Leiter der „Gruppe 47", Hans Werner Richter, hat . . . die Vorwürfe, die Bundeskanzler Kurt Georg Kiesinger gegen einen Teil der in der Bundesrepublik arbeitenden Schriftsteller erhoben hatte, zurückgewiesen. Kiesinger hatte . . . der Mehrzahl der deutschen Schriftsteller „ultralinke Positionen" vorgeworfen und kritisiert, daß sie die junge Generation einer „einseitigen Berieselung" aussetzten. Richter antwortete, so verschieden die Standpunkte der Schriftsteller auch seien, sie wollten eine demokratische Gesellschaft und einen Staat, der nichts mehr mit dem Obrigkeitsstaat deutscher Vergangenheit zu tun habe. Richter wertet die Äußerungen Kiesingers gegen die Schriftsteller, die nach Meinung des Kanzlers „im Gegensatz zu dem Lebensgefühl der breiten Schichten unseres Volkes" stehen, als ein Anzeichen für den beginnenden Wahlkampf. Man wolle offensichtlich, so sagte Richter, „kleinbürgerliche Ressentiments gegen die deutsche Literatur" nun auch „wahlpolitisch nutzen".

tigung besteht. Darunter ist nicht ein heute nur in der Distributionssphäre vordergründig wirksamer Pluralismus zu verstehen, der die Möglichkeit, sich „etwas leisten zu können", mit demokratischer Freiheit verwechselt, und auch keine spannungslose Pluralität, in der sich die Mächtigen mit den Machtlosen arrangiert haben, um die bestehenden Herrschaftsverhältnisse zu verfestigen. Allen Institutionen, jeder Minderheit wird ein unantastbares Eigenleben zugestanden. Die Machtträger sollen auf einfache Weise austauschbar sein. Allgemeine Wert- und Normkonformität, die dazu neigt, in Intoleranz und „Establishment" im weitesten Sinne auszuarten, soll ersetzt werden durch eine beschränkte Übereinkunft in Spielregeln demokratischer Auseinandersetzung; Spielregeln, die nicht als Instrument zur Herrschaftsverlängerung der Privilegierten mißbraucht werden können. *Insoweit soll Pluralismus nicht eine Verhüllungsideologie der gegenwärtigen Ordnung der „Entmündigung" darstellen, sondern ein Garant sein zur größtmöglichen Emanzipation aller.*

Dieser Gedankengang ist den Vertretern der beiden anderen Ideologietypen nicht fremd. Doch in der Vorstellung, *wie* eine solche Demokratie verwirklicht werden könnte, unterscheiden sich die drei Ideologien grundlegend. Der pluralistischen Haltung widerspricht ein monistischer Ansatzpunkt. Die Pluralisten halten einen radikalen Eingriff in die gegenwärtige ökonomische Grundstruktur nicht für das Allheilmittel, das unweigerlich zur Verwirklichung der Demokratie führt:

„Die Verhältnisse werden, fürchte ich, von Jahr zu Jahr weniger akzeptabel. Aber gegenüber einer grundlegenden Umwälzung von einer kapitalistischen zu einer sozialistischen Gesellschaft wäre ich sehr skeptisch, weil in unserer komplexen Welt *eine* Sicht, *eine* Ideologie die Dinge nicht lösen kann . . . Der Glaube ist vorbei bei mir, daß eine Revolution der ökonomischen Verhältnisse alle Erscheinungen der Selbstentfremdung, Unterdrückung, Verstümmelung, Tabuisierung beseitigen könnte . . . Ein pragmatisches Denken ist notwendig: dort Sozialisten, dort Kapitalisten, wo es sich auszahlt." (18)

Eine Institution darf sich nicht auf Kosten der anderen, eine Weltanschauung nicht auf Kosten einer zweiten, die Mehrheit nicht auf Kosten der Minderheit durchsetzen können. Die Befürworter der pluralistischen Demokratie verurteilen Selbstgerechtigkeit und „Sesselkleberei" der politisch, wirtschaftlich und weltanschaulich Mächtigen, sie nehmen Stellung gegen die eingefahrene westdeutsche (und ostdeutsche) Außenpolitik (1967!). Sie plädieren zum großen Teil — von den Vertretern der beiden anderen Ideologietypen tun es alle — für die Anerkennung der Oder-Neiße-Linie und der DDR[89], sie engagieren sich gegen die Notstandsgesetze (die zur Zeit der Befragung noch nicht verabschiedet

---

[89] Zur Haltung der Intellektuellen in der BRD gegenüber der DDR s. *R. Siewert/H. Bilstein:* Gesamtdeutsche Kontakte, Analysen Bd. 1, Opladen 1969 (Veröffentlichung der Akademie für Wirtschaft und Politik, Hamburg), S. 126 f.

waren) und vermissen allenthalben Beweglichkeit, geistige Offenheit, Alternativen. Vordringlich erscheint ihnen der Abbau der faktischen Bildungsprivilegien zu sein, der, wie einige glauben, von den Privilegierten aus Angst vor Statusverlust und aus der Überlegung, daß der Dumme am leichtesten manipulierbar ist, bewußt verzögert wird.

Den Schriftstellern, die den Typ a) vertreten, geht es um die *Verteidigung der Demokratie,* wie sie im Grundgesetz angelegt ist (mitsamt dem Recht auf Eigentum nach Art. 14). Sie sehen die Demokratie in der BRD in Gefahr durch zunehmende Verfestigung der Autoritätsstruktur und durch eine von oben unterstützte politische Trägheit und weltanschauliche Intoleranz der Bevölkerung:

> „Die Bundesrepublik ist der beste Staat, den wir je hatten. Wir haben noch nie soviel Freiheit gehabt, die beste Verfassung. Aber die Verfassung wird von uns allen viel zuwenig ausgenützt ... Eine grundlegende Änderung bestände auch darin, daß die Parteien agiler würden und daß nicht alles verordnet wird." (22)
> „Die gegenwärtigen Verhältnisse sind nicht akzeptabel. Eine grundlegende Änderung bedeutet eine Demokratisierung und Politisierung der Bevölkerung, die immer noch nicht stattgefunden hat ... Die Regierenden müssen anfangen, die unreife Bevölkerung reif zu machen, damit sie sich gegen die Regierung wendet ..." (25)
> „Mit Sorge sehe ich die Entwicklung der letzten anderthalb Jahre. Die große Liberalität wird immer mehr eingeschränkt ... Man wird zum Verteidiger der Demokratie ... Ich will die Springerpresse nicht dämonisieren, aber bestimmte Radikalismen von rechts schränken die Meinungsbildung ein." (30)

Im Gegensatz zu den Vertretern der Typen b) und c), die eine grundlegende Veränderung der ökonomischen Verhältnisse für die erste Voraussetzung der Demokratisierung halten, wollen die Pluralisten mit Maßnahmen der *sozialpolitischen Bewußtseinsbildung* der unterstellten un- oder antidemokratischen Mentalität des Durchschnittsbürgers beikommen. Dazu gehören vorrangig die Verwirklichung einer allgemeinen Gleichheit der Bildungschancen, die Verbesserung der Schulen, die Modernisierung und „Entideologisierung" des Lernstoffes und der Abbau der schulischen und allgemeinen gesellschaftlichen Autoritätsstruktur, die Durchsetzung einer grundlegenden Mitbestimmung in allen Bereichen. Gleichermaßen müßten die Massenmedien rigoros zu Trägern demokratischer Aufklärung umgewandelt werden. Hier sehen die Schriftsteller auch eine Chance, die „verbissene Irrationalität" zugunsten einer toleranten Sachlichkeit abzubauen.

Fazit: Der Typ der pluralistisch-demokratischen Ideologie stellt eine Werthaltung dar, die durch (institutionelle) Einwirkung auf die Mentalität aller Beteiligten das zeitgenössische alternativlose „Establishment" im weiteren Sinne mitsamt seinen restaurativen Neigungen durch eine allgemein tolerierte, demokratische Vielfalt eigenständiger Gruppen, Institutionen und Attitüden ersetzen will.

b. Der sozial-demokratische Typ.

Der Begriff sozial-demokratisch bezieht sich in unserem Zusammenhang nicht auf ein altes oder neues parteipolitisches Programm der SPD, sondern bezeichnet eine Haltung, die in der resoluten *Neuverteilung des Privateigentums an Produktionsmitteln* die einzig wirksame Maßnahme sieht, demokratische Zustände zu erreichen:

„Grundlegende Änderungen sind unbedingt nötig. Um es im Klischee zu sagen: Umverteilung, Neuverteilung des Eigentums, dabei Beibehaltung bis zu einer gewissen Grenze. Die Entmachtung sämtlicher Größen, Konzerne hat Folgen für die Machtverteilung. Besser ist eine anonyme Bürokratie, als so abhängig zu sein von den Entscheidungen weniger. Die Macht ist durch Eigentum definiert." (9) „Die Fetischisierung des Eigentums ist ein wichtiges Element der bürgerlichen Ideologie. Es geht bei den Änderungen um die Kontrolle der Macht, um Demokratisierung. Unsere Demokratie ist es nur dem Namen nach. Konkreter: Es muß erst mit der Kartellgesetzgebung gemacht werden, mit Gesetzen, die den Marktanteil eines einzelnen begrenzen. Die grundlegende Änderung führt in Richtung Sozialismus, aber nicht Verstaatlichung, sondern weitgehende parlamentarische Kontrolle der Produktionsmittel." (19)

Der erste Typ der Ideologie verstand sich als Verteidigung der Demokratie, die, in ihren Ansätzen angelegt, heute wieder rückläufig erscheint. Dem zweiten (und dritten) Typ dagegen geht es um eine bis jetzt nie gelungene *Herstellung der Demokratie,* die bisher blockiert wurde durch einseitige Konzentration des Privateigentums (oder überhaupt durch dessen Vorhandensein).

Die „Sozial-Demokraten" plädieren genauso wie die Vertreter von Typ a) für eine pluralistische Offenheit, mit einer Einschränkung: Da sie die Macht in der BRD mit dem Eigentum an den Produktionsmitteln gleichsetzen und das Kapital unter dem Akkumulationsgesetz sehen, können sie eine liberale Betrachtung des Eigentums nicht mit ihrem Begriff der Demokratie vereinbaren. Sie möchten das Eigentum durch gleichmäßige Verteilung *neutralisieren* und glauben, daß damit erst eine pluralistische Chancengleichheit gewährleistet und die Gefahr verringert ist, daß das Eigenleben einzelner Gruppierungen, die nicht zum Arrangement mit dem akkumulierten Kapital bereit sind, mehr oder weniger terroristisch unterdrückt wird.

Die Demokratisierung setzt hier also nicht bei den Mentalitäten der Bevölkerung an, sondern nimmt den Umweg über die Änderung der ökonomischen Verhältnisse. Erst eine Eigentums- und damit Machtnivellierung schafft Platz für demokratische Entwicklung. Es soll nicht mehr möglich sein, daß die auf Grund ihres Besitzes Mächtigen den von ihnen abhängigen Besitzlosen durch kleine, das Bewußtsein vernebelnde ökonomische Zugeständnisse dieselbe antidemokratische Haltung beibringen, die sie selbst schon haben, und damit ihre Position sichern.

Fazit: Die sozial-demokratische Ideologie glaubt die demokratische Chancengleichheit und Freiheit nur dadurch erreichen zu können, daß sie durch eine gleichmäßige Neuverteilung das Privateigentum sozusagen neutralisiert und damit seiner möglichen antidemokratischen Kräfte beraubt.

c. Der sozialistisch-demokratische Typ

Aus ihrer Überzeugung heraus, daß die Institution des Privateigentums an Produktionsmitteln als solche die Wurzel aller Entfremdung, Unterdrückung, Ausbeutung ist, plädieren die Vertreter des dritten Ideologie-Typs für die *Abschaffung bzw. Verstaatlichung* des Eigentums. Hoffen die Anhänger des „sozial-demokratischen" Typs noch, das Eigentum durch eine gleichmäßige Verteilung unschädlich machen zu können, so meint man hier, daß das Privateigentum immer nur den Interessen weniger dienen kann (die sich zur Niederhaltung der Ausgebeuteten immer weitergehender faschistischer Methoden bedienen müssen), daß die institutionalisierte Profitgier mitsamt den aufgesetzten Weltanschauungen die Brutalisierung des gesellschaftlichen Lebens und die im weitesten Sinne imperialistische, antidemokratische Menschenverachtung verschuldet. Nur eine radikale Umwälzung des ökonomischen Unterbaus ändert auch den ideologischen Überbau, da man mit Marx annimmt, daß das Sein das Bewußtsein bestimmt und die herrschenden Werte in der Gesellschaft die Werte des herrschenden Großkapitals sind.

Hier erscheint eine Bemerkung nötig zum Inhalt des Begriffes Privateigentum. Wo sollen die Grenzen liegen? Die Vertreter des Typs b) möchten das Privateigentum nach oben kaum beschränken, wenn es nur gerecht verteilt ist. Dagegen stellen sie fest, daß *heute* z. B. der Besitz eines Eigenheims eine gefährliche Art von Eigentum darstellt, die bestimmte, die gegenwärtigen Verhältnisse rechtfertigende und verfestigende Ideologien ausbildet. Die Anhänger des Typs c), die nicht nur die gegenwärtigen Eigentumsverhältnisse, sondern das Privateigentum als solches für die Quelle allen Übels ansehen, möchten Einfamilienhäuser meist schon zum Kollektiveigentum rechnen. Privat verfügbar dürften nur Einrichtungsgegenstände und Auto sein, „um zur Arbeit fahren zu können".

Halten die Vertreter der sozialistischen Demokratie die „echte" Demokratie in den sozialistischen Ländern (z. B. in der DDR) für verwirklicht? Keineswegs, aber immerhin in mancher Beziehung für weiter fortgeschritten als im kapitalistischen Westen. Als positive Beispiele wurden genannt: die Entfernung aller ehemaligen Nazis aus der Verantwortung, ein gerechtes Bildungssystem, eine weithin verwirklichte Mitbestimmung der Arbeiter. Trotzdem — und dadurch bekommt der von ihnen propagierte Sozialismus einen utopischen Zug — sehen sie im autoritären DDR-Sozialismus ein Beispiel eines ehrlichen, aber mißlungenen Versuches, die sozialistische Demokratie aufzubauen. Sie erklären sich auch nur ungern bereit, die immer noch monolithische Struktur der ostdeutschen „Diktatur des Proletariats" mit ihrer totalen Kontrolle als ein unvermeidliches Zwischenstadium zur kommunistischen, klassenlosen Gesellschaft zu entschuldigen:

„Ich habe lange geglaubt, daß nur einzelne Mißstände auf der Grundlage der Demokratie kritisiert werden sollten. Aber heute sehe ich, Mißstände, z. B. der Vietnamkrieg, sind eine Konsequenz des kapitalistischen Systems. Das Endziel der Veränderung ist verstaatlichter Besitz, eine sozialistische Gesellschaft, aber, um Gotteswillen, nicht so wie in der DDR ... (Trotzdem:) Wie unentwickelt es im Osten auch sein mag, dort sind die Weichen besser gestellt. Dort gibt es das Bewußtsein, in der Gesellschaft zu stehen, für die Gesellschaft da zu sein ... Dort ist das Bewußtsein besser, ein NPD gibt es dort nicht. Trotzdem sind viele Vorbehalte anzumelden." (8)

„Ich fürchte, um eine Verstaatlichung, Eigentumsabschaffung kämen wir nicht herum. Andererseits bekämen wir wiederum eine Diktatur der Spießer, Bornierten, Kleinkarierten wie in der DDR, eine Funktionärshierarchie, genauso borniert wie hier." (17)

Nicht den Sozialismus, sondern seine *machtausübenden Repräsentanten* in der DDR sehen sie als untauglich an. Die totalitären Elemente innerhalb der östlichen Staatsverfassungen rühren nach der Meinung dieser Schriftsteller nicht von der monistischen Weltanschauung her, sondern sind teils durch das westliche Aggressionsverhalten zu erklären und teils durch die verkrampfte Status-quo-Verbohrtheit der etablierten, an ihren Privilegien hängenden Politiker und Technokraten im Machtapparat der DDR.

Gerade auch hier wird noch einmal die bei allen Autoren vorgefundene Abneigung gegen das „unbewegliche Establishment" welcher Prägung auch immer deutlich. Zwar hat die Abschaffung des Eigentums, wie die Vertreter des dritten Typs meinen, fast notwendig ein „richtiges" Bewußtsein zur Folge, verhindert aber nicht, wie sie zugeben, eine Mentalität, die in ihren Grundzügen typisch für „Spießer aller Länder" ist; nur erscheinen ihnen eben sozialistische Spießer weniger gefährlich als kapitalistische.

Angesichts des Establishments allenthalben entscheiden sich 2 Autoren für eine „permanente Revolution"; einer fügt hinzu:

„Ich liebe Massenaufmärsche, Straßenkämpfe, ich bin ein Gegner der Ordnung." (3)

Fazit: Die Ideologie der sozialistischen Demokratie tritt also für die Abschaffung des in seiner Wirkung inhumanen, undemokratischen Privateigentums ein in der Überzeugung, daß eine derartige Umwälzung der ökonomischen Verhältnisse mit einiger Sicherheit zu demokratischen Einstellungen und Zuständen führt.

3. Die Verteilung der Ideologien auf freie und berufstätige Autoren

Wenn man unter *progressiv* den Wunsch nach Veränderung der bestehenden Verhältnisse versteht — und zwar in Richtung einer bisher noch nie verwirklichten Gesellschaftsverfassung, vertreten alle 30

Befragten eine progressive Ideologie. Die *Grade* der Progressivität sind offensichtlich aber *verschieden* und nehmen von Typ a) bis Typ c) der Ideologien auffällig zu. Das Kriterium für den Grad der Progressivität ist hier die Stärke des gewünschten Eingriffes in die gegenwärtige ökonomische und soziale Grundstruktur, um die politisch-sozialen Verhältnisse zu verbessern.

Demnach könnte man dem Typ der *pluralistisch-demokratischen Ideologie* das Attribut *reformerisch* hinzufügen: Die gegebene gesellschaftliche Grundverfassung ist entwicklungsfähig, bleibt die Grundlage, auf der Veränderungen stattfinden sollen. Auf den Typ der *sozial-demokratischen Ideologie* trifft der Ausdruck *radikal-reformerisch* zu: In die sozialökonomische Grundstruktur muß resolut eingegriffen werden, um freies Feld für eine demokratische Entwicklung zu schaffen. Die Institution Privateigentum bleibt, wenn auch in sehr veränderter Form, bestehen. Und zum Typ der *sozialistisch-demokratischen Ideologie* gehört der Ausdruck *revolutionär:* Die Grundstruktur soll durch eine andere ersetzt werden, um damit erst Demokratie zu ermöglichen.

Die *Verteilung* der Ideologien auf berufstätige und freie Schriftsteller sieht nun folgendermaßen aus:

- Den reformerischen pluralistisch-demokratischen Typ vertreten 8 berufstätige Autoren (darunter alle 3 mit literaturfernen Berufen), 3 freie und 1 studierender; insgesamt 12.
- Den radikal-reformerischen sozial-demokratischen Typ vertreten 4 berufstätige, 5 freie Schriftsteller und 1 studierender; insgesamt 10.
- Den revolutionären sozialistisch-demokratischen Typ vertreten 1 berufstätiger Autor (der 7 Jahre lang freiberuflich tätig war), 6 freie und 1 studierender, insgesamt 8.

Offensichtlich neigen freie Schriftsteller in ihren Ideologien zu höheren Graden der Progressivität als berufstätige Schriftsteller. Damit ist der zweite Teil der der Arbeit zugrunde liegenden Hypothese belegt: *Insoweit Schriftsteller keinen Nebenberuf haben und deshalb gesamtgesellschaftlich isolierter sind als die berufstätigen, neigen sie zu progressiveren Ideologien als diese.*

4. Die Verbindung von Ideologien und Gesellschaftsbildern

Im folgenden soll die abgerissene Verbindung zwischen Gesellschaftsbildern und Ideologien der Autoren wiederhergestellt werden (s. Tab. 2; die kategorisierenden Kennworte, unter denen die Vorstellungen und Einstellungen zusammengefaßt wurden, sind mit keinerlei Wertung verbunden).

Tab 2: Die Verbindung der Gesellschaftsbilder und Ideologien der Schriftsteller

Ideologische Tendenzen*

		refor-merisch	radikal-reformerisch	revo-lutionär	Summe
Gesell-schafts-bilder	Schicht-kontinuum mit Ten-denz zur Nivellierung zum Gleich-gewicht; Konsensus	plura-listisch-demo-kratisch 8b, 3f, 1st A	sozial-demo-kratisch 3b, 1f C	ideali-stisch – sozia-listisch 4f E	11b 8f 20 1st
	Klassen-dichotomie mit schar-fen Grenzen; Konflikt	B	revisio-nistisch-sozia-listisch 1b, 4f, 1st D	dog-matisch sozia-listisch 1b,** 2f, 1st F	2b 6f 10 2st
Summe		12	4b, 5f, 1st 10	1b, 6f, 1st 8	30

b = berufstätig, f = frei, st = studierend
* Kriterium: Wunsch der Veränderung der gegenwärtigen politisch-sozialen Ver-hältnisse in Richtung „Demokratie", aufgeteilt nach der Stärke des Eingriffes in die gegenwärtige sozialökonomische Grundstruktur
** war 7 Jahre lang als Schriftsteller freiberuflich tätig

Die Verbindung der Ideologien mit den Gesellschaftsbildern ergibt Verschiebungen in der Verteilung beider auf die Befragten. Gesellschafts-bilder und Ideologien modifizieren einander. So rückt etwa das radikal-reformerische Bestreben näher an die sozialistische Haltung heran, wenn es zusammen mit der Vorstellung einer ausgeprägten Klassendichotomie auftritt *(Feld D)*; „revisionistisch" ist diese Haltung insofern, als sie zwar ein rein marxistisches Gesellschaftsbild vertritt, aber die marxistische Lösung der Abschaffung des Eigentums zugunsten der milderen Lösung der Neuverteilung verwirft.

Im gleichen Sinn verliert das revolutionäre Bestreben etwas an Schärfe, wenn es sich mit dem Gesellschaftsbild des Schichtkontinuums verbindet *(Feld E)*; „idealistisch" ist diese Haltung insofern, als es ihr im besonderen auf das verbreitete „falsche" Bewußtsein der Gesellschafts-mitglieder ankommt; das falsche Bewußtsein hat die Umformung von einer Klassen- in eine Schichtgesellschaft faktisch bewirkt. Gleichzeitig soll in „idealistisch" das utopische Moment in der Werthaltung dieser 4 freien Schriftsteller enthalten sein. *(Feld B* ist leer, weil sich eine monistische Gesellschaftsbetrachtung und ein pluralistischer Veränderungswille offensichtlich widersprechen).

Es scheint berechtigt, die Tabelle in zwei Hälften aufzuteilen, und zwar — wie es der Trennungsstrich anzeigt, einesteils in die Felder A, (B), C *(die gemäßigten Linken),* und andernteils in die Felder D, E, F *(die extremen Linken).* Die Extremen sind sehr viel einheitlicher in ihren politisch-sozialen Einstellungen, sie verfolgen in ihrem Gesellschaftsverständnis eine monokausale Thesenreihe, die bei den Eigentumsverhältnissen beginnt. Die Gemäßigten betonen die eine oder andere Art sozialer Verursachung, geben aber ihre Überzeugung zu erkennen, daß es viele Arten gibt. Auch neigen sie dazu, sich nicht eindeutig festzulegen, sondern mehrere Möglichkeiten offenzulassen.

In diesem Zusammenhang ist die Feststellung *R. K. Mertons* wichtig, daß die pluralistische Ansicht sozialer Verursachung hauptsächlich bei Leuten zu finden ist, die in stabiler materieller Sicherheit leben und relativ hohes Prestige genießen. Sie wünschen den Ausgleich von Gegensätzen und gewinnen jedem Blickpunkt etwas ab. Sie vermeiden es, eindeutig Partei zu ergreifen. Dagegen herrschen bei den Leuten, die in ihrer materiellen Unsicherheit und Prestigelosigkeit auf radikale soziale Veränderung aus sind, monistische soziale Erklärungen vor[90].

Die folgende Übersicht ermöglicht einen Vergleich der sozialistischen, „extrem linken" Schriftsteller mit den „gemäßigten linken" nach verschiedenen sozial relevanten Daten (s. Tab. 3).

Unter den „Extremen", deren Ideologien sich durch eine erhebliche Progessivität auszeichnen, sind die freien Schriftsteller weit häufiger vertreten als die berufstätigen.

Auffällig ist, daß alle 4 Autoren, die früher mittlere und gehobene Angestelltenberufe hatten, die „sozialistisch-revisionistische" Haltung einnehmen und alle ein undifferenziertes Gesellschaftsbild haben (s. Kap. III 3.). Stellt diese Haltung den noch nicht ganz vollzogenen Übergang von der Angestelltenhaltung zur extremen Einstellung des freien Schriftstellers dar? Ohne nähere Kenntnis dieser Einzelfälle ist diese Frage nicht zu beantworten.

Es scheint, als nehme mit zunehmender formeller *Ausbildung* die Tendenz zu einer ausgeprägt progessiven Ideologie ab. Das mag u. a. auch daran liegen, daß Abitur oder Studium einen gehobenen Status mit dem entsprechenden Prestige nach sich ziehen, eine Sicherheit innerhalb der allgemeinen Statusunsicherheit des Schriftstellers. Dadurch wird die soziale Frustration, die ihren Ausdruck in progressiven Ideologien finden kann, vielleicht ein wenig verringert.

---

[90] *R. K. Merton:* Social Theory and Social Structure, Glencoe-Illinois 1957, S. 486.

Tab. 3: *Soziale Merkmale und ideologische Progressivität*

	gemäßigte Linke	extreme Linke	Summe
Schriftsteller insgesamt	16	14	30
Freie und berufstätige:			
frei	4	10	14
berufstätig	11	2	13
Studenten	1	2	3
Frühere Berufe der freien Schriftsteller:			
Arbeiter	1	2	3
Angestellte	–	4	4
von Anfang an frei	3	4	7
Differenzierung der Gesellschaftsbilder:			
differenziert	8	6	14
undifferenziert	8	8	16
Ausbildung (ohne Studierende):			
abgeschlossenes oder abgebrochenes Studium	10	5	15
Volksschule oder mittlere Reife	6	6	12
Schriftstellerischer Erfolg (1967):			
Publikumserfolg*	5	1	6
Großes Gewicht des Namens im internen Literaturbetrieb**	7	4	11
Durchschnittsalter (alle: 31 Jahre)	33,5	29,9	

* Kriterien: Veröffentlichung von mindestens 2 Büchern mit einer Gesamtauflage von je ca. 5000, bei Lyrik je 2000. Dazu mindestens 1 Literaturpreis.
** Nach unserer persönlichen Einschätzung.

Es scheint auch so, als neigten *erfolgreiche* Schriftsteller weniger zu stark progressiven Ideologien als erfolglose. Der Schriftstellerberuf kennt keinen formellen Ausbildungsweg, kein Training, das mit der erreichten Stufe einer formellen Reife einen bestimmten Status verschaffen könnte. Erfolg beim Publikum oder auch im internen Literaturbetrieb ist für den Schriftsteller die einzige Möglichkeit, aus einer statuslosen Anonymität zu einem hohen Persönlichkeitsstatus aufzusteigen. „Ruhm" ist die einzige soziale Belohnung, die der Schriftsteller erhalten kann; ihm steht nur die Karriere der Prominenz offen, die unabhängig von seiner Herkunft und Ausbildung ist. Erfolg heißt also weniger Aufstieg innerhalb einer Ranghierarchie als Einstieg von außen in die gehobenen Ränge. Das wurde auch ganz deutlich bei der Frage nach der vermuteten Fremdeinordnung der Schriftsteller (s. Kap. II.7.c.): Ein beträchtlicher Teil der

Befragten meinte, daß Grass, Böll usw. in den Augen der Leute einen hohen Status haben, sie selbst dagegen, weil sie kaum bekannt sind, gar keinen. Erfolg gibt Status, Prestige, er wirkt als Teil des sozialen Belohnungssystems integrierend. Das scheint ein Grund dafür zu sein, daß erfolgreiche Schriftsteller weniger zu stark progressiven Ideologien neigen als erfolglose.

Auch das Alter spielt hinsichtlich der Progressivität einer Ideologie offenbar eine gewisse Rolle. Einerseits dürfte dies auch wieder mit dem literarischen Erfolg zusammenhängen, der sich erst nach dem 30. Lebensjahr einzustellen pflegt. Andererseits könnte sich das fortschreitende Alter mäßigend auf die Ideologien auswirken, indem es z. B. auch in der größeren Erfahrung der Beschränkung sozialer Verwirklichungsmöglichkeiten zunehmend die utopischen Elemente der radikalen Ideologien abbaut.

V. Gesellschaftliche Situation und progressive Ideologie

Die vorliegende Untersuchung stellte eine Beziehung zwischen der sozialen Situation eines Gesellschaftsmitgliedes und seiner Ideologie her: Mit zunehmender gesamtgesellschaftlicher Isolierung der jüngeren Schriftsteller steigt die Progressivität ihrer Ideologien. Das ist eine empirische Bestätigung der weitverbreiteten Vermutung, daß eine soziale Ausgliederung oder mangelhafte Eingliederung von Gesellschaftsmitgliedern deren Anfälligkeit für *soziale Antihaltungen* steigert. Die Außenseiterposition der Künstler, und weiterhin auch: die Rollenunklarheit und Statusunsicherheit der Jugendlichen, die soziologische Zwischenlage der Studenten[91], das „soziale Freischweben" der Intelligenz werden angeführt zur Erklärung der Kritik- und Rebellionsbereitschaft dieser Gruppierungen. Hier sitzt nach *C. W. Mills* „die historische Agentur der Veränderung."[92]

J. Schumpeter bringt neben dem Hinweis, daß im Fehlen einer direkten Verantwortlichkeit der Intellektuellen für praktische Dinge der Grund für das Fehlen von Kenntnissen aus unmittelbarer Erfahrung zu suchen ist, die Feststellung, daß die kritische Haltung der Intellektuellen aus ihrer Situation des Zuschauers und Außenseiters resultiert. Nach Schumpeter hat der Kapitalismus den Intellektuellen befreit und ihm ermöglicht, seinem Beruf als Kritiker nachzugehen, Störungsfaktor zu sein. Nur eine sozialistische oder faschistische Gesellschaftsordnung könnte den Intellektuellen zügeln; der Kapitalismus müßte sich eine wirksame Kontrolle über ihn durch die Beschränkung der Freiheit aller und auch der bürgerlichen Institutionen, sogar des Privateigentums, erkaufen[93].

[91] *J. Habermas* u. a. stellen fest, daß weniger als die Hälfte der Studenten bereit ist, sich selbst gesellschaftlich einzustufen; s. *J. Habermas u. a.,* a.a.O., S. 203. Eine ähnliche, wenn auch nicht so stark ausgeprägte Tendenz zeigt sich bei *E. Pfeil u. a.,* a.a.O., S. 273 Tab. 74.

[92] Zitiert bei *O. Negt:* Politik und Protest, in: *L. Hack, O. Negt, R. Reiche,* a.a.O., S. 21.

[93] *J. Schumpeter:* Über den Kapitalismus, in: *C. W. Mills* (Hrsg.): Klassik der Soziologie, Frankfurt 1966, S. 256 ff. und 363.

Th. Geiger erklärt die Intelligenz zu „geborenen Außenseitern" und begründet ihre Heimatlosigkeit mit der „ewigen Antinomie zwischen Macht und Geist"[94] und *K. Mannheim* traut ihr eine kritische Analyse der miteinander konkurrierenden Klassenideologien und eine „überperspektivische Synthese" zu, weil sie nicht an eine bestimmte Klassenlage gebunden ist[95]. Eine solche Tätigkeit wird gesellschaftlich nicht belohnt, und gerade diese mangelnde gesellschaftliche Nachfrage hält *R. Michels* für den Grund, daß die „stellenlosen Deklassierten unter den Gebildeten" zum Aufruhr neigen[96].

„Man kann für die gegenwärtigen politischen Protestbewegungen in der BRD fast die Formel aufstellen, daß die politische Bewegbarkeit einer sozialen Gruppe in einem umgekehrt proportionalen Verhältnis zur gesamtgesellschaftlichen Relevanz dieser Gruppen steht", schreibt *R. Reiche*[97] und *E. K. Scheuch* hält es für ein Charakteristikum extremistischer Bewegungen, daß sie überproportional Personen anziehen, „die sozial oder nach ihrer Persönlichkeitsstruktur marginal sind"[98].

Aber die Feststellung einer faktischen Beziehung zwischen einer bestimmten sozialen Situation von Gesellschaftsmitgliedern und deren Einstellungen hat als solche noch keine Erklärkraft, sondern bedarf erst einer Erklärung. Hierzu bietet die Soziologie nur mäßiges Material an. Nach *C. Geertz* lassen sich zwei heute geläufige Ansatzpunkte der Erklärung von Ideologien unterscheiden, wobei Ideologie hier als „isoliert vom Hauptstrom sozialer Gedanken" verstanden wird, die *Interessen-* und die *Spannungstheorie:*

„Für die erste ist Ideologie eine Maske und eine Waffe; für die zweite ein Symptom und ein Heilmittel. Die Interessentheorie sieht ideologische Äußerungen vor dem Hintergrund eines universalen Kampfes um Vorteile; die Spannungstheorie sieht sie vor dem Hintergrund einer chronischen Bemühung, ein sozialpsychologisches Ungleichgewicht auszubalancieren. In der einen Theorie streben die Menschen nach Macht, in der anderen flüchten sie vor ihrer Angst . . . Der große Vorteil der Interessentheorie war und ist, daß sie die kulturellen Ideensysteme im soliden Grund der Sozialstruktur wurzeln sieht, indem sie nachdrücklich auf die Motivationen derer, die sich zu solchen Systemen bekennen, hinweist und auf die Abhängigkeit dieser Motivationen von der sozialen Position, hauptsächlich der sozialen Klasse."[99]

Die Theorien sind nicht unvereinbar:

„Wie ‚Interesse' . . . gleichzeitig ein psychologisches und soziologisches Konzept darstellt − indem es sich sowohl auf einen subjektiven Vorteil eines Individuums oder einer Gruppe von Individuen als auch auf die objektive Struktur der Gelegenheiten bezieht, in der sich das Individuum oder die Gruppe befindet − so bezieht

---

[94] *Th. Geiger:* Aufgaben und Stellung der Intelligenz in der Gesellschaft, Stuttgart 1949, S. 131; S. 71 und 121.
[95] Wiedergegeben ebd., S. 62 und 63.
[96] *R. Michels,* a.a.O., S. 814.
[97] *R. Reiche:* Die Beschränkung der jugendlichen Protestbewegungen, in: *L. Hack, L. Negt, R. Reiche,* a.a.O., S. 25.
[98] *E. K. Scheuch:* Soziologische Aspekte der Unruhe unter den Studenten, in: Aus Politik und Zeitgeschichte, Beilage zu „Das Parlament" vom 4. 9. 1968, S. 16.
[99] *C. Geertz:* Ideology as a cultural system, in: *D. E. Apter* (Ed.): Ideology and Discontent, The Free Press of Glencoe 1964. S. 52.

sich auch Spannung gleichzeitig auf einen personalen Zustand und die Bedingung der gesellschaftlichen Isolierung."[100]

Die Spannungstheorie gibt einige Ansatzpunkte zur Beantwortung der Frage: Welche Folgen hat die Außenseiterposition für die Außenseiter, hier die Schriftsteller? Gesellschaftliche Isolierung im Sinne verweigerter Anerkennung, Statuslosigkeit, verbunden mit finanzieller Unsicherheit erzeugt Spannungen; Frustrationen, die zur Ausbildung ausgeprägt *progressiver Kampfideologien* beitragen. Diese Ideologien stellen für die sozial marginale Persönlichkeit einen Schutz dar, der ihr die Bewahrung einer eigenen SchriftsteToll Außenseiteridentität inmitten einer „Gesellschaft von Ignoranten", und damit auch Verhaltenssicherheit, erlaubt.

Die *Nebenberufe* der Schriftsteller haben heute offensichtlich eine *integrierende Wirkung,* wenn sie auch die Außenseiterstellung nur zu einer Randseiterstellung umzubiegen vermögen. Bestimmte Vergünstigungen, die eine gehobene Berufsposition mit sich bringt (materielle Sicherheit, Anerkennung als Funktionsträger), fangen eine Reihe von Frustrationen ab, doch nicht so weit, daß die sonst übliche durchschnittliche, tendenziell konservative Ideologie der höheren Berufsstellungen zum Durchbruch kommen könnte. Die soziale Isolierung des Schriftstellers wird durch einen Nebenberuf nur vermindert; dazu kommt die Spannungssituation des Interrollenkonfliktes. Nebenberufe verhindern nicht die Progressivität der schriftstellerischen Ideologien, sondern schränken sie nur ein.

Die berufstätigen Autoren wissen, daß sie sich die sozialen Sicherheiten des Nebenberufes durch eine „tagtägliche Funktionalisierung im Produktionsprozeß" erkaufen, daß sie einem dauernden, schwer zu entgehenden Anpassungsdruck ausgesetzt sind. Sie tun es, wie sich zeigte, nicht freiwillig. Angesichts der gegenüber den freien Schriftstellern weniger progressiven Ideologien kann man „davon ausgehen, daß Institutionen auf die Dauer stärker sind als bloße Intentionen"[101]. Dabei stellt für viele Autoren der Nebenberuf nur ein *Übergangsstadium* dar: Der nur „temporären Subversivstellung" der Studenten entspricht umgekehrt eine nur „temporäre Integrativstellung" der berufstätigen Schriftsteller.

Über die psychologisierende Spannungstheorie darf die *Interessentheorie,* die die Gesellschaft als Schlachtfeld strukturbedingter Interessen begreift, nicht aus den Augen verloren werden. Die Theorien ergänzen einander. Welche Interessen haben Schriftsteller? Die Außenseiterstellung erzeugt Spannung. Spannung drängt nach Auflösung. Eine gesellschaftliche Integration wäre für die Schriftsteller spannungsbeseitigend. Das Interesse der schriftstellerischen Außenseiter besteht in einer Aufhebung ihrer gesellschaftlichen Isolierung, die *nicht* mit dem Aufgeben

[100] Ebd., S. 53.
[101] *L. Hack:* Zur neuen Faszination der Unmittelbarkeit, in: *L. Hack, O. Negt, R. Reiche,* a.a.O., S. 73.

ihrer spezifischen schriftstellerischen Intentionen verbunden ist. D. h.: In ihrem Interesse liegt die Veränderung der Gesellschaft. Sie verlangen nach einer neuen, offenen Gesellschaft, die die Künstler nicht *wegen* ihrer Tätigkeit isoliert, sondern sie *mit* dieser integriert und ihr damit gesellschaftliche Relevanz zugesteht.

Warum ist die Progressivität der Schriftsteller (wie auch die der aktiven Studenten) in unserer Gesellschaft heute so eindeutig nach „links" orientiert? Auf diese Frage gibt es zwei Antwortmöglichkeiten, die ein verschiedenes soziologisches Wissenschaftsverständnis ausdrücken. Sehr vereinfacht lauten sie so:

● Weil die kritische neomarxistische Betrachtungsweise der kapitalistischen Gesellschaft „richtig" und „nötig" ist und als richtig und nötig nur von den Leuten erkannt werden kann, die sich durch eine soziologische Zwischenlage von der allgemeinen Bewußtseinsmanipulation freihalten können. (Zur Frage steht hier die kritische Analyse der kapitalistischen Gesellschaft und die der Bedingungen und Wirkungen der Manipulation.)

● Weil die sozialen Außengruppen in der Bildung ihrer Kontrakultur jeweils die ideologischen Konzepte aufgreifen, die der ideologischen Hauptkultur entgegengesetzt sind, bzw. von ihr tabuiert werden. (Grundlegende Frage: Wann erzeugt welche Hauptkultur welche Kontrakulturen?)

Ein Eingehen auf diese Alternativen würde den Rahmen der vorliegenden Untersuchung sprengen.

VI. Ein Ausweg aus der Isolierung?

1. Das funktionale Selbstverständnis der Schriftsteller

Bevor abschließend eine Bedingung der sozialen Integration der jungen Schriftsteller erörtert wird, soll kurz auf ihre funktionale Selbstbestimmung eingegangen (besonders nach Interviewfrage 28) und ihre Bereitschaft geprüft werden, ob sie der sozialen, insbesondere der kommunikativen Isolierung entgehen wollen (nach Frage 29).

Fast einhellig wird die Meinung vertreten, daß der Schriftsteller eine bestimmte Aufgabe in der Gesellschaft zu erfüllen hat, und zwar folgender allgemeiner Art: „Bewußtseinsfindung", Aufdecken neuer Zusammenhänge, neuer Denkmöglichkeiten; Beunruhigung, Verbreitung von Zweifel; Vorbereitung für Veränderung usw.:

„Kunst ist Luxus, und zwar notwendiger Luxus. Kunst entwickelt sich erst, wenn ein gewisses Maß an Bedürfnisbefriedigung entwickelt ist. Kunst dient im optimalen Sinn der Bewußtseinsfindung bzw. Aufzeigung von Positionen – auch in negativen Darstellungen, auf die man sich zubewegen müßte. Es kann positiv und negativ gezeigt werden, wie man handeln müßte . . . Sie zeigt gesellschaftliche Prinzipien, nach denen die Gesellschaft strebt, die die Gesellschaft noch nicht wahrgenommen hat, obwohl sie im Interesse der Gesellschaft liegen." (1) „Der Schriftsteller erfüllt eine gesellschaftliche Aufgabe. Er hat die Möglichkeit, unsere Nerven blank zu schaben, und was er an Persönlichem ausdrückt, ist geeignet, unser Dasein, das durch Zweckdenken beherrscht ist, zu durchschütteln." (5)

„Jeder Schriftsteller macht bewußt oder unbewußt durch sein Schreiben deutlich, daß die von ihm beschriebenen Zustände unhaltbar sind, also zu verändern." (29) (S. auch die Interviewantworten in Kap. II, 5.)
„Der Schriftsteller hat die gesellschaftliche Funktion, die sich gegen die Gesellschaft richtet." (7)

Naheliegend war die Zusatzfrage nach der Notwendigkeit eines *politischen Engagements* für Schriftsteller. Alle Befragten antworteten erstaunlich leidenschaftslos: Diese speziellere Art von gesellschaftlicher Aufgabe mag die Literatur, gelegentlich auch nebenher, erfüllen, vielleicht sollte sie es sogar, aber sie *muß keineswegs*. Alle Befragten wehren sich gegen einen Zwang zum politischen Engagement, aber kein Autor findet — vermutlich im starken Gegensatz zu einem Großteil der traditionell „Gebildeten" —, daß politisches Engagement etwas Außerliterarisches sei, das in seinen außerkünstlerischen Intentionen dem Wesen der Kunst widerspreche. Alle Autoren bekunden den Wunsch, daß die oben erwähnte allgemeine Aufgabe der Literatur (Aufklärung, Beunruhigung) allgemein anerkannt werde. Aber sie sind sich darüber klar, daß ihnen heute so gut wie niemand die Aufgabe, die sie haben wollen, stellt. Diese Isolierung wollen sie durchbrechen.

Kunst wird in unserer Gesellschaft als Luxusartikel betrachtet, sie wird, gleichgültig welcher Art sie ist, mit dem fast ausschließlichen Ergebnis von Lustgewinn konsumiert und hat keine Folgen, oder wirkt nur auf die „falschen" Leute, auf die, „die es sowieso schon wissen":

„Literatur ist eine kulinarische Beschäftigung für eine Minderheit." (3)
„Belletristik ist ein Luxusartikel, ein entbehrlicher, der zum Bürgertum gehört. Darunter leidet die Literatur. Die Literatur hat die Aufgabe, aus ihrem Ghetto auszubrechen." (8)

Der Schriftsteller sollte einige Anerkennung, mehr Gehör und wirksameren Einfluß haben, fordern ausdrücklich 19 Autoren. Damit wäre den Schriftstellern und gleichzeitig der Gesellschaft geholfen:

„. . . weil die Gesellschaft in den Schriftstellern die Möglichkeit hat, sich selbst zu korrigieren." (17)
„Wenn die Gesellschaft in der Lage ist, das literarische Produkt anzuerkennen, dann steht es gut um die Gesellschaft. Zwangsläufig kann sie dann auch differenzierter denken, würde sich anders verhalten. Sie würde zwangsläufig vermenschlichen." (25)
„Versteht sich eigentlich von selbst (daß er mehr Anerkennung usw. verdient hat). Ein Beispiel: Hätten die Schriftsteller in der Weimarer Republik mehr Einfluß gehabt, wären uns zwei Jahrzehnte deutscher Geschichte erspart geblieben." (26)

Die höchst nüchterne Einsicht, daß die sozialen Belohnungen der Bedeutung entsprechen, die die Gesellschaft einer Funktion gibt, zeigen die anderen Autoren:

„Schriftsteller neigen gerne dazu zu sagen, sie würden zuwenig gehört, sie müßten mehr Einfluß haben. Aber: Wenn die Gesellschaft uns nicht hören will, sind wir vielleicht auch selbst daran schuld." (30)

„Das Desinteresse des Publikums antwortet auch auf das Desinteresse des Schriftstellers ... Die Arbeiter wissen so wenig von der Literatur wie die Literatur von den Arbeitern ... Es ist zu befürchten, daß wir so viel Aufmerksamkeit haben wie wir verdient haben." (28)
„Einfluß, Achtung richten sich nach der Funktion, die er in der Gesellschaft ausübt ... Höchstwahrscheinlich ist es der Gesellschaft überhaupt unmöglich, ihm mehr Einfluß, Achtung zu geben. Die vitalen Interessen sind nicht künstlerischer Natur ... Ein Konsumschriftsteller hätte ein Höchstmaß an Achtung verdient wie der Hersteller von VW, weil er die gleiche Funktion erfüllt." (1)

Diese Befragten sind sich klar darüber, daß Ansehen und Einfluß nicht mildtätige soziale Gaben sind, sondern erworben werden müssen, und zwar durch einen hohen Grad der Teilnahme an den gegenwärtigen sozialen Werten. Aber — und damit sind sie mit allen anderen Autoren einig — Bewußtseinserweiterung, Unruhe, Kritik, Auseinandersetzung gehören in der BRD nicht zu den allgemein anerkannten Werten. Gleichzeitig weigern sich die Autoren, sich durch Konformität und Anpassung soziale Anerkennung einzuhandeln.

Nur ganz wenige Autoren geben eine gewisse Resignation zu erkennen: Die soziale Wirksamkeit der Literatur wird im Vergleich zu der anderer gesellschaftlicher Institutionen wohl immer minimal bleiben. Dennoch bekennt sich keiner der Befragten zu der altehrwürdigen, auch heute immer wiederholten Ansicht, daß gesellschaftliche Isolierung das Opfer sei, das die Kunst vom Künstler verlange.

2. Von der „Afunktion" zur „Dysfunktion"[102]

Die Schriftsteller wollen sich sozial integrieren, sie befinden sich auf Statussuche. *König* und *Silbermann* schlagen den Künstlern, um zu integrieren, ein „besonderes soziales Aktionsmuster" vor, eine Verbreitung des Wissens über die Kunst:

„(Ein) praktisches Verständnis wird erweckt werden, und das bedeutet in unserem Zusammenhang die Promotion der Anerkennung des Künstlers, die Festigung seines sozialen Status als wesentliches Mitglied der Gesellschaft. Es ist heute an den Künstlern selbst, es ist einer der Bestandteile ihrer vielfältigen sozialen Rolle, das neue künstlerische Wissen zu verbreiten ... und damit einem Aktionsmuster zu folgen, das sich auf anderen Lebensgebieten schon lange als verdienstreich, wenn nicht sogar als notwendig erwiesen hat. Wird aber dieser Rollenvielfalt nicht Genüge getan, dann darf es nicht erstaunen, wenn Künstler zu monströsen Unikums werden und ihr sozialer Status zu(r) ... Fragwürdigkeit herabsinkt."[103]

---

[102] Unter „Funktion" versteht man in der Soziologie die Wirkung eines Systemelements, die zur Aufrechterhaltung und Stabilisierung des sozialen Systems beiträgt. „Dysfunktion" ist das Gegenteil: Ein Beitrag zur Systemverunsicherung, -zerstörung. „Afunktion" bedeutet: keinerlei Wirkung.
[103] *R. König* und *A. Silbermann*, a.a.O., S. 31.

Am Beispiel des Atomforschers und des Arztes glauben die beiden Soziologen die Statuswirksamkeit der popularisierenden Wissensverbreitung aufzeigen zu können[104]. Abgesehen davon, daß sie unterstellen, über Atomphysik und Medizin wüßte der „Durchschnittsmensch" mehr als über neue Kunst, und abgesehen davon, daß sie nicht unbedingt vom Atomforscher oder Arzt *selbst* die Popularisierung des Wissens verlangen: Der erhebliche Status von Atomforscher und Arzt rührt doch weniger daher, daß man sich vorstellen kann, mit welch schwierigen Dingen sie sich beschäftigen, als daher, daß man weiß, *wozu* sie sich mit solch schwierigen Sachen beschäftigen. Hier kommt das Wert- und Normsystem der Gesellschaft ins Spiel. Ist die künstlerische Tätigkeit schon deshalb diskreditiert, weil sie „unproduktiv" ist, so stößt erst recht der Anspruch des Künstlers, nicht unterhalten, entspannen, sondern aufstören, umwälzen, destruktiv sein zu wollen, auf größten Widerwillen. Weniger der Künstler weigert sich, wie die beiden Soziologen meinen, Wissen über die moderne Kunst zu popularisieren, sondern vielmehr ist der „Durchschnittsmensch" nicht bereit, von „diesen Künstlern" Wissen über Inhalt und Anspruch der Kunst anzunehmen und damit Kunst und Künstler anzuerkennen.

Die jungen Schriftsteller wiederum befürchten, daß soziale Integration heute für sie nur Anpassung, Unterwerfung unter die soziale Kontrolle bedeuten kann, und daß eventuelle Integrationsangebote nur das Ziel verfolgen, den Unruhefaktor Intellektuelle auszuschalten.

Die jungen Schriftsteller wünschen den Übergang von der gegenwärtigen „Afunktion" zur allgemein anerkannten „Dysfunktion". Nach der Meinung der Autoren ist die dysfunktionale Tätigkeit schon angelegt in dem Bedürfnis zu schreiben; denn der Wunsch nach Veränderung, der durch die Empfindung des Unbehagens ausgelöst wird, ist die Voraussetzung dazu, literarisch tätig zu werden. *Dabei zielt ihr Veränderungswille nicht auf die Etablierung einer anderen, neuen „Ordnung", solange mit Ordnung ein Diktat der Ruhe einhergeht, sondern auf die Hereinnahme von Bewegung, Experiment, Wandel, „Unordnung" in die private und öffentliche Existenz des Gesellschaftsmitgliedes.* „Das wahrhaft Positive ist die Gesellschaft der Zukunft und deshalb jenseits von Definition und Bestimmung, während das bestehende Positive dasjenige ist, über das hinausgegangen werden muß", schreibt *H. Marcuse*[105] und *A. Malraux:* „In der Anklage des Lebens bestätigt sich die grundlegende Würde des Gedankens, und jeder Gedanke, der das Universum in seiner Wirklichkeit rechtfertigt, erniedrigt sich, sobald er etwas anderes wird als eine Hoffnung."[106]

---

[104] Ebd., S. 30.
[105] *H. Marcuse:* Repressive Toleranz, in *R. P. Wolff, B. Moore, H. Marcuse,* a.a.O., S. 99.
[106] Zitiert bei *R. Aron:* Opium für Intellektuelle, Köln, Berlin 1957, S. 67.

Im Gegensatz zu den Vorstellungen der „strukturell-funktionalen Theorie" in der Soziologie kann ein dysfunktionales Verhalten durchaus als Rollenerwartung gelten, meint *R. Dahrendorf*[107]. Zur sozialen Integration des Schriftstellers müßten nach der Meinung der Befragten solche dysfunktionalen Rollenerwartungen gehören. Dem Schriftsteller würde damit nicht nur das Recht zugesprochen, zu kritisieren, sondern er hätte sogar die Pflicht, zur sozialen Veränderung beizutragen. Die Rollenzumutung an den Schriftsteller würde heißen, das „Gewissen der Nation" zu sein, im besonderen das schlechte Gewissen der Macht. Damit stände der *Schriftsteller* als Mitglied der Gesellschaft nicht unter einem Konformitäts-, sondern unter einem *Nonkonformitätsdruck*. Der Anlaß fiele für ihn weg, die soziale Isolierung zu suchen, um, frei von der Tyrannei kleinlicher sozialer Anpassungsforderungen, seine Originalität verwirklichen zu können[108].

Diese fiktive, ganz offene Rolle enthält somit die Vorzüge der sozialen Isolierung, die dem Intellektuellen und Schriftsteller emanzipiertes Denken und künstlerische Originalität ermöglichen kann, aber nicht ihre frustrierenden Nachteile wie fehlende soziale Wertschätzung oder Kommunikationsferne. Der Schriftsteller ist sozial domestiziert, aber damit nicht zur Ruhe gebracht, sondern zur Unruhe aufgefordert, die belohnt wird.

Die Anerkennung einer dysfunktionalen Rolle setzt voraus, daß im allgemein akzeptierten Wertsystem auch Werte wie Kritik, Zersetzung, Veränderung enthalten sind. Dahinter müßte eine Mentalität stehen, die das Bestehende nicht als das Selbstverständliche, „Natürliche" betrachtet, sondern die Zweifel, Auseinandersetzung, sozialen Wandel für normal und wertvoll hält.

VII. Zusammenfassung

Der Arbeit lag folgende Hypothese zugrunde, die an einer Stichprobe von 30 jüngeren Autoren zum größten Teil belegt werden konnte: Insoweit Schriftsteller gesamtgesellschaftlich isoliert sind, neigen sie zu gering differenzierten Gesellschaftsbildern und progressiven Ideologien.

Die Schriftsteller sind gesellschaftlich isoliert. Einer Gesellschaft entfremdet, die den „Nutzen" künstlerischer Arbeit, besonders dann, wenn

---

[107] *R. Dahrendorf:* Homo sociologicus, Köln ⁴1964, S. 61 Anm. 84. Als Beispiel erwähnt Dahrendorf die Rollenerwartungen gegenüber den Proletariern.

[108] *C. Crana,* a.a.O., S. 41, gibt eine Meinung wieder, wonach die Abwesenheit von den Zwängen der sozialen Umgebung die Originalität erst möglich macht. Eine Frage, die zur Spekulation einlädt: Kann ein Nonkonformitätszwang gleichermaßen die schöpferische Originalität beeinträchtigen?

sie auf Veränderung abzielt, nicht recht einsehen kann, nehmen sich die Autoren aus dem gesellschaftlichen Rollengeflecht und dem Statusaufbau heraus und finden ihre Bezugsgruppen bei ihresgleichen. Von ihrer schriftstellerischen Arbeit können sie nicht leben. Sie sind auf Arbeiten für die Massenmedien angewiesen oder — das gilt für 13 der Befragten — auf einen Nebenberuf, der gleichzeitig gesellschaftlich integrierend wirkt.

In der Annahme, daß die Übernahme sozial integrierender Berufsrollen einen Einfluß auf Gesellschaftsvorstellungen und Einstellungen zur Gesellschaft hat, wurden die Gesellschaftsbilder und Ideologien der freien mit denen der berufstätigen Schriftsteller verglichen. Als *Gesellschaftsbilder* ergaben sich einerseits die Vorstellung eines zur Nivellierung neigenden *Schichtenkontinuums* im annähernden Gleichgewicht mit allgemeinem Wertkonsensus, andererseits die Vorstellung einer *Klassendichotomie* mit nicht beilegbarem Interessen- und Wertkonflikt. In der Differenzierung der Gesellschaftsbilder ergaben sich zwischen freien und berufstätigen Autoren keine signifikanten Unterschiede. Dieses Ergebnis erklärt sich damit, daß alle Autoren, auch die berufstätigen, ihre wichtigsten sozialen Erfahrungen als Schriftsteller, also als gesellschaftliche Außenseiter machen. Alle Gesellschaftsbilder, differenzierte wie undifferenzierte, scheinen nicht unmittelbar „erlebt" zu sein, sondern stellen mehr oder weniger ein abstraktes Buchwissen dar.

Die Dominanz der Außenseiterposition über die Nebenberufsposition berührt auch die *Ideologien* der Schriftsteller. *Alle Ideologien erwiesen sich als „progressiv".* Dagegen scheint der Nebenberuf mäßigend auf den *Grad* der Progressivität von Ideologien zu wirken. Mit zunehmender Progressivität der Ideologien —

1) die *pluralistisch-demokratische* (12 Vertreter);
2) die *sozial-demokratische* (10);
3) die *sozialistisch-demokratische* (8) —

nehmen die berufstätigen Schriftsteller unter ihren Vertretern ab und die freien zu.

Eine Verbindung der Gesellschaftsbilder mit den Ideologien ermöglichte die Zweiteilung der Autoren in die *„gemäßigten Linken"* (16) und die stark progressiven *„extremen Linken"* (14), unter denen relativ viel mehr freie als berufstätige Schriftsteller sind. Mit der Spannungs- und der Interessentheorie wurden Erklärungsansätze für die Verbindung zwischen gesellschaftlicher Isolierung und progressiven Ideologien gegeben.

Abschließend stand die Frage zur Diskussion: Wie kann die gesellschaftliche Isolierung der Schriftsteller aufgehoben werden? Voraussetzung dafür ist nach Meinung der Befragten, daß unter Integration nicht „Disziplinierung", ein Nachgeben gegenüber dem Konformitätsdruck verstanden wird, sondern die Anerkennung der Schriftsteller als Träger der Veränderung, als „schlechtes Gewissen der Nation".

B. Ergänzungen und Materialien

1. Zum Untersuchungsverfahren

a. Der Interviewer

Da der Verfasser selbst alle Interviews durchführte, fällt eine Schwierigkeit weg, die in der empirischen Sozialforschung mit „Interviewer-Differenzierung" bezeichnet wird (das verschiedenartige Ausfallen der Interviews nach der verschiedenen Art und Einstellung der Interviewer).

Das ganze Interview bestand aus offenen Fragen; es wurde versucht, durch Anknüpfen an Stichworte der Befragten möglichst umfassende, themagerechte Antworten zu erhalten; dabei wurde der Befragte aber nicht gedrängt, sich auf etwas festzulegen, was evtl. in die Kategorisierungspläne des Verfassers gepaßt hätte.

Mit einigen der Befragten ist der Verfasser gut bekannt. Alle wußten oder hörten von ihm, daß er sich gelegentlich literarisch zu betätigen versucht. Deshalb antworteten ihm die meisten vielleicht wie einem, der „dazugehört" (was sich auch in Wendungen ausdrückte wie: „das weißt du ja genausogut"). Aus diesem Grund ist evtl. eine gewisse „in-group-Verzerrung" in den Antworten zu erwarten; andererseits aber zeigte sich die grundsätzliche Bereitschaft, auf alle Fragen offen und interessiert einzugehen.

b. Der Fragebogen

1. Darf ich zuerst wissen, ob Sie verheiratet sind (Geschieden?) Kinder? Evtl. Beruf des Ehepartners (seine Ausbildung). Darf ich Sie auch nach Ihrem Alter fragen?

   Ehe und Kinder: evtl. Anhaltspunkt für „Vergesellschaftung" des Befragten. Der Beruf des Partners kann ein indirekter Zugang zur Berufswelt sein.

2. Sind Sie hauptamtlich Schriftsteller oder haben Sie einen davon unabhängigen Beruf, eine Nebenbeschäftigung? Welche? Wann? Wie lange?

   Auch ein früher ausgeübter Nebenberuf kann von Bedeutung sein. Die Berufe sollen in literaturnah und literaturfern unterteilt werden.

3. Welche Schulen haben Sie besucht? Welche Ausbildung haben Sie genossen?

Frage 3 und 11: Bezieht der Autor seine Gesellschaftsbilder und Ideologien aus seiner Herkunfts- oder Bildungsschicht? Hier kann auch das Schlagwort von der einseitigen Akademisierung der Literatur geprüft werden.

4. (Für diejenigen mit Nebenberuf): Betrachten Sie Ihren „Neben"beruf als reinen Gelderwerb, beeinträchtigt er Ihre literarische Arbeit (oder ist er vielleicht eine Grundlage Ihres Schreibens)? Würden Sie ihn aufgeben, wenn Sie von Ihrer Schriftstellertätigkeit leben könnten?

5. Gibt es Berufe, die mit der Schriftstellertätigkeit harmonieren? Oder solche, die ihr absolut widersprechen?

6. Wie viele Bücher, Beiträge zu Anthologien usw. haben Sie bisher veröffentlicht? Wieviel verdienen Sie, ganz grob geschätzt, im Monat, Jahr durch Ihre schriftstellerische Arbeit? Womit bestreiten Sie sonst Ihren Lebensunterhalt: Beruf, Verdienst der Ehefrau, Vermögen.

Gibt es eine Beziehung zwischen der Höhe des literarischen Einkommens und den sozialen Vorstellungen und Einstellungen? Tröstet evtl. ein hohes Einkommen über die soziale Standortlosigkeit hinweg oder schafft es sogar einen Standort?

7. Darf ich, nur ungefähr, die (verkaufte) Auflage Ihres Buches, Bücher wissen? Würden Sie die Auflage als relativ hoch, durchschnittlich oder niedrig bezeichnen? Warum? Haben Sie schon einen Literaturpreis bekommen?

Hat der „Erfolg" oder dessen subjektive Einschätzung etwas mit der Ideologie zu tun?

8. Sollten notleidende Schriftsteller aus öffentlichen Mitteln unterstützt werden, um ungehindert arbeiten zu können?

Frage nach der allgemeinen sozialen Einstellung: Hält der Befragte die Gesellschaft für zuständig für Leben und Arbeit des Schriftstellers (wie z. B. für Arbeitslose)? Befürchtet er eine Einflußnahme von oben?

9. Welche Berufe haben Ihre engeren Freunde und Bekannten, Ihr näherer Umgang?

Hinweis auf die „Bezugs"gruppe des Befragten.

10. Sind Sie Mitglied einer literarischen Vereinigung? Einer außerliterarischen Vereinigung? (Vereine, Partei usw.)

Hinweis auf Vergesellschaftung und Bezugsgruppe.

11. Hier möchte ich Sie noch nach dem Beruf und der Ausbildung Ihres Vaters und Ihrer Mutter fragen.

12. Haben Sie guten Kontakt und ein gutes Verhältnis zu Ihren Eltern und Verwandten? Stehen Ihre Eltern Ihrer Betätigung als Schriftsteller reserviert, gleichgültig oder zustimmend gegenüber?

Entfremdung von der Herkunftsfamilie ist ein Schritt zur allgemeinen sozialen Entfremdung, die sich auf Gesellschaftsbild und Ideologie auswirken kann.

13. Immer wieder liest man von einem „Unbehagen" an unserer Gesell-
    schaft. Was halten Sie davon? Was ist hier die Gesellschaft, wer ist
    damit gemeint?

    Das Wort Unbehagen soll ein Anreiz zum Sprechen sein. Man erreicht damit
    eher eine subjektiv gültigen Gesellschaftsbegriff beim Befragten. Er spricht von
    etwas, das ihn angeht.
    Die Gefahr, daß die Fragen 13, 14 und 15 suggestiv wirken, ist gering. Die
    Antworten müssen begründet werden: Es ist unwahrscheinlich, daß jemand
    lange wider seine wirkliche Einstellung formuliert.

14. Immer wieder heißt es, eine (unsere) Gesellschaft sei ohne Werte, (die
    manchmal „ewig" genannt werden) und Verhaltensnormen nicht
    lebensfähig, ihr Bestand hänge davon ab. Werte und Verhaltens-
    normen sollen für alle Mitglieder verbindlich sein. Was halten Sie
    davon?

    Diese Frage soll das allgemeine Gesellschaftsverständnis des Befragten offen-
    baren: Konfliktmodell, pluralistisches Gleichgewicht; allgemeiner Konsensus.
    Auch seine Wunschvorstellung kann interessant sein. Falls der Befragte nicht
    spontan oder nur ab- oder einseitig auf diese Frage reagiert, sollen ihm unge-
    ordnete Beispiele für Werte und Normen vorgelegt werden.
    Werte: Ideen (des Guten, Schönen); freie Marktwirtschaft, Profitstreben; gegen-
    wärtige Bildungsideale; religiöse Werte; Gerechtigkeit; Vaterland; Eigentum;
    Freiheit; Arbeit als Lebensinhalt; „Volksgemeinschaft".
    Normen: alles, was man (nicht) tut, was man sich (nicht) leisten kann, worüber
    man (nicht) spricht. Verkehrsordnung; Anstandsregeln; Mode; Gesetze; Ver-
    halten der Geschlechter zueinander.

15. Gibt es bei uns gesellschaftliche Tabus? Welche?

    15 hängt eng mit 14 zusammen. Aber das Wort Tabu weckt emotionelle Kräfte;
    es ist ein Lieblingswort in Literaturkreisen. – Beispiele: sexuelle Tabus,
    nationale Symbole (z. B. Eisernes Kreuz), evtl. Gotteslästerung, Privateigentum,
    Kommunismus.

16. Wer ist eigentlich interessiert an der Aufrechterhaltung von Werten,
    Verhaltensregeln und Tabus? Und warum?

    Die Antwort auf diese Frage, etwa „die Spießer", „die herrschenden Kreise"
    oder „alle" gibt Auskunft über Ressentiment und soziales Wissen des Befragten.
    (Die Antwort muß auch im Hinblick auf die Herkunfts- und Bildungsschicht des
    Befragten betrachtet werden).

17. Immer wieder wird auf die Familie als die „Keimzelle der Gesell-
    schaft" hingewiesen. Was halten Sie davon? Wozu ist die Familie
    überhaupt da?
    Sollte die Scheidung erleichtert werden?

    Die Einstellung gegenüber der Familie ist ein Anhaltspunkt für die Haltung des
    (evtl. isolierten) Individuums gegenüber vergesellschaftenden Institutionen. Es
    soll sich erweisen, ob der Befragte Ehe und Familie für einen Wert hält. Ist die
    Gesellschaft dafür zuständig?

18. Wie ist in unserer Gesellschaft die Macht verteilt? Kann jeder, unab-

hängig von seiner Position, seiner Schicht-, Gruppen- oder Organisationszugehörigkeit, sozial Einfluß nehmen?

Breitflächige Machtverteilung oder einseitige Machtkonzentration?

19. Von Einzelheiten abgesehen: Sind die gegenwärtigen gesellschaftlichen und politischen Verhältnisse im großen und ganzen akzeptabel? Oder wären grundlegende Änderungen nötig?

Frage nach der Ideologie (Wertung und bereitgehaltenes neues Konzept). Die Antworten können herkunfts- und bildungsspezifisch ausfallen.

20. Welchen Einfluß hat, ganz allgemein gesehen, die größere und kleinere gesellschaftliche Umwelt auf den einzelnen, auf seine Persönlichkeit? Ist überhaupt ein Einfluß da? Konkreter: Haben Sie den Eindruck, daß sich Ihre Mitwelt, Ihre Mitbürger (wobei weniger einzelne gemeint sind als das Kollektiv) in Ihr persönliches Leben einmischen, daß Sie in Ihrer Lebensweise, Ihren Zielen beeinflußt werden, oder sind Sie völlig unabhängig von Ihrer Mitwelt?

Diese Frage soll zeigen, ob der Befragte (analog der allgemeinen, nachromantischen Erwartung des ungebundenen Bohemekünstlers) den Vorstellungen des Individualismus huldigt.

21. Der heutigen Literatur wird Lust an Provokation, Zerstörung von Werten und Verderbnis der Sitten vorgeworfen, kurz, das Negative. (Die neuen „Helden", heißt es, seien Irre, versoffen, verhurt, der Sinnlosigkeit ergeben usw.) Gibt es diese Tendenz in der neuesten Literatur? Wenn ja, wie erklären Sie sich diese Tendenz?

Interessant wäre zu wissen, ob die Befragten eine solche Tendenz literaturgeschichtlich erklären oder sie als Protest des sozial isolierten Individuums gegen die Gesellschaft verstehen (und dabei glauben, daß die Gesellschaft so am zutreffendsten charakterisiert ist.)
Steht der heutige Autor vielleicht unter dem Subgruppenzwang, ein Bürgerschreck zu sein?

22. Gibt es in der heutigen Gesellschaft soziale Unterschiede? Welche gesellschaftlichen Klassen/Schichten gibt es? Wie viele?

Eine wichtige Frage zur Ermittlung des Gesellschaftsbildes. Die Kriterien des Schichtmodells ergeben sich aus den gewählten Schichtbezeichnungen. Auch das Ressentiment wird deutlich.

23. Zu welcher dieser Klassen/Schichten gehören Sie selbst?
a) als Schriftsteller
b) in ihrem Beruf

Kann und will sich der Befragte als Schriftsteller in sein eigenes Schichtmodell einordnen (falls er über eines verfügt)?
Wählt er evtl. Statuskriterien, die eine Selbstzurechnung zur Elite erlauben?
Eine verschiedene Selbsteinstufung nach Schriftsteller- und Berufstätigkeit kann ein Hinweis auf den Interrollenkonflikt sein.

24. Können Sie mir einen Beruf nennen, der in Ihren Augen nach Rang und Ansehen mit dem des Schriftstellers vergleichbar ist?

Kontrollfrage zu 23: Sieht der Autor seinen Beruf isoliert oder kann er ihn auf eine Statusebene mit anderen stellen?

25. (Den Befragten wurde folgendes Schichtmodell vorgelegt:

Obere Oberschicht
Untere Oberschicht
Obere Mittelschicht
Untere Mittelschicht
Obere Unterschicht
Untere Unterschicht):

Nehmen wir einmal an, unsere Gesellschaft baue sich in dieser Weise auf. Zu welcher Schicht würden sie sich, falls überhaupt, rechnen

a) als Schriftsteller
b) als Berufsträger?

Zu welcher dieser Schichten gehören Ihre Eltern?

Die Vorlage eines Schichtmodells ist erforderlich, um die Selbsteinordnung der verschiedenen Autoren vergleichen zu können. Natürlich muß das angebotene Schema keineswegs den Abstufungsvorstellungen des Befragten entsprechen. Um ein Ergebnis anzuführen: viele Autoren ordneten sich nicht ein; aber nicht mit der Begründung, daß das vorgegebene Modell inadäquat sei, sondern mit dem Satz, daß sie „außerhalb der Gesellschaft stehen".

26. Welchen Rang hat heute der Schriftsteller in den Augen der Leute? Wo, glauben Sie, wird er eingeordnet

a)   innerhalb der sozialen Abstufung, die Sie selbst geben
b)   innerhalb des vorgegebenen Schichtmodells?

Vermutete Fremdeinordnung, höchst wichtig zur Bestimmung eines eigenen Standortes.

27. Kann man heute von einer gesellschaftlichen Position in eine andere überwechseln? Wie gelangt man an einen bestimmten gesellschaftlichen Ort? Wie kann ein Schriftsteller seine soziale Stellung verändern?

Frage nach der sozialen Mobilität. Kennt der Autor einen eigenen, von den übrigen Gesellschaftsmitgliedern unterschiedenen Aufstiegsmechanismus?

28. Wozu ist der Schriftsteller Ihrer Meinung nach da: Erfüllt er eine gesellschaftliche Aufgabe?
Funktionale Selbsteinordnung

29. Haben die Schriftsteller heute im ganzen mehr Gehör verdient? Mehr gesellschaftliche Achtung? Soll ihre Tätigkeit mehr anerkannt werden? Sollte ihr Einfluß größer sein?

Wünscht der Autor, aus seiner sozialen, insbesondere kommunikativen Isolierung herauszukommen oder fürchtet er die Nachteile, die eine soziale Integration für Künstler und Kunst haben kann?

Die Interviews dauerten von 45 Minuten bis zu 2½ Stunden. 11 der Befragten wohnten in Berlin, 8 in München, 4 in Hamburg, je 3 in Köln und Frankfurt und einer in Bielefeld.

2. Die befragten Autoren: Veröffentlichungen

Ernst Augustin: Der Kopf, Roman, München (Piper) 1962; Das Badehaus, Roman, München (Piper) 1963.

Reinhard Baumgart: Der Löwengarten, Roman, Olten-Freiburg (Walter) 1961 (Deutscher Taschenbuch Verlag 1965); Hausmusik. Ein deutsches Familienalbum, Olten-Freiburg (Walter) 1962 (Fischer Bücherei 1966); Panzerkreuzer Potjomkin, Erzählungen, Neuwied – Berlin (Luchterhand) 1967.
Das Ironische und die Ironie in den Werken Thomas Manns, München (Hanser) 1964; Literatur für Zeitgenossen, Essays, Frankfurt (Suhrkamp) 1966; Aussichten des Romans oder hat Literatur Zukunft? Frankfurter Vorlesungen, Neuwied – Berlin (Luchterhand) 1968.

Horst Bienek: Traumbuch eines Gefangenen, Prosa und Lyrik, München (Hanser) 1957; Nachtstücke, Erzählungen, München (Hanser) 1959 (beides im deutschen Taschenbuch Verlag 1968); Was war, was ist, Gedichte. München (Hanser) 1966; Die Zelle, Roman, München (Hanser) 1968; Vorgefundene Gedichte, München (Hanser) 1969. Werkstattgespräche mit Schriftstellern, München (Hanser) 1962 (Deutscher Taschenbuch Verlag 1965).

Horst Bingel: Wir suchen Hitler, Gedichte, München (Scherz) 1965; Herr Sylvester wohnt unter dem Dach, Erzählungen, München (Deutscher Taschenbuch Verlag) 1967.
Hrsg.: Deutsche Lyrik – Gedichte seit 1945, Stuttgart (Deutsche Verlagsanstalt) 1961 (Deutscher Taschenbuch Verlag 1963); Deutsche Prosa – Erzählungen seit 1945, Stuttgart (Deutsche Verlagsanstalt) 1963 (Deutscher Taschenbuch Verlag 1965); Zeitgedichte. Deutsche politische Lyrik seit 1945, München (Piper) 1963.

Nicolas Born: Der zweite Tag, Roman, Köln – Berlin (Kiepenheuer und Witsch) 1965; Marktlage, Gedichte, Köln – Berlin (Kiepenheuer und Witsch) 1967.

Rolf Dieter Brinkmann: Die Umarmung, Erzählungen, Köln – Berlin (Kiepenheuer und Witsch) 1965; Raupenbahn, Prosatexte, Köln – Berlin (Kiepenheuer und Witsch) 1966; Was fraglich ist wofür, Gedichte, Köln – Berlin (Kiepenheuer und Witsch) 1967; Die Piloten, Gedichte, Köln – Berlin (Kiepenheuer und Witsch) 1968; Keiner weiß mehr, Roman, Köln – Berlin (Kiepenheuer und Witsch) 1968 (rororo 1970); Vorspannstücke und andere Prosa, Darmstadt (März) 1969.
Hrsg.: Silver Screen: Neue amerikanische Lyrik, Köln – Berlin (Kiepenheuer und Witsch) 1969; zusammen mit R. R. Rygulla: Acid. Neue amerikanische Szene, Darmstadt (März) 1969.

Hans Christoph Buch: Unerhörte Begebenheiten, Geschichten, Frankfurt (Suhrkamp) 1966.

Peter O. Chotjewitz: Hommage à Frantek. Nachrichten für seine Freunde, Roman, Reinbek (Rowohlt) 1965; Die Insel. Erzählungen auf dem Bärenauge, Reinbek (Rowohlt) 1968; zusammen mit Gunter Rambow: Roman – ein Anpassungsmuster, Darmstadt (Melzer) 1968: Ulmer Brettspiele, Gedichte, Stierstadt (Eremiten-Presse) 1969; Abschied von Michalik, Prosa, Stierstadt (Eremiten-Presse) 1969; Vom Leben und Lernen. Stereotexte, Darmstadt (März) 1969.

Peter Faecke: Die Brandstifter, Roman, Olten-Freiburg (Walter) 1963; Der rote Milan, Roman, Olten-Freiburg (Walter) 1965.

Gerd Fuchs: Landru und andere Erzählungen, München (Piper) 1966.

Hartwin Gromes: Staatsbahnen und andere Texte, Frankfurt (Fischer) 1965.

Wolfgang Hädecke: Leuchtspur im Schnee, Gedichte, München (Hanser) 1963.
Hrsg. zusammen mit Ulf Miehe: Panorama moderner Lyrik deutschsprechender Länder, Gütersloh (Bertelsmann) 1966.

Peter Hamm: Brecht nach der Kulturrevolution. Passagen, München (Rogner und Bernhard) 1969.
Hrsg.: Aussichten. Junge Lyriker des deutschen Sprachraums, München (Biederstein) 1966; Kritik von wem, für wen, wie? Eine Selbstdarstellung deutscher Kritiker, München (Hanser) 1968.

Rolf Haufs: Straße nach Kohlhasenbrück, Gedichte, Neuwied–Berlin (Luchterhand) 1962; Sonntage in Moabit, Gedichte, Neuwied–Berlin (Luchterhand) 1964; Vorstadtbeichte, Gedichte, Neuwied–Berlin (Luchterhand) 1967; Das Dorf S. und andere Geschichten, Neuwied–Berlin (Luchterhand) 1968.

Günter Herburger: Eine gleichmäßige Landschaft, Erzählungen, Köln–Berlin (Kiepenheuer und Witsch) 1964; Ventile, Gedichte, Köln–Berlin (Kiepenheuer und Witsch) 1966; Die Messe, Roman, Neuwied–Berlin (Luchterhand) 1969.

Uwe Herms: Hrsg.: Druck-Sachen. Junge deutsche Autoren, Hamburg (Wegner) 1965.

Dieter Hoffmann: Eros in Steinlaub, Gedichte, Neuwied–Berlin (Luchterhand) 1961; Ziselierte Blutbahn, Gedichte, Stuttgart (Deutsche Verlagsanstalt) 1964; Veduten, Gedichte, Frankfurt (Fischer) 1969.
Hrsg.: Personen. Lyrische Portraits von der Jahrhundertwende bis zur Gegenwart, Frankfurt (Societäts-Verlag) 1966.

Otto Jägersberg: Weihrauch und Pumpernickel. Ein westphälisches Sittenbild, Roman, Zürich (Diogenes) 1964 (Fischer Bücherei 1967); Nette Leute, Roman, Zürich (Diogenes) 1967 (Fischer Bücherei 1970); Der Waldläufer Jürgen, Geschichte, Stierstadt (Eremiten-Presse) 1969.

Yaak Karsunke: Kilroy und andere, Gedichte, Berlin (Wagenbach) 1967; Reden und Ausreden, Gedichte, Berlin (Wagenbach) 1969.

Reinhard Lettau: Schwierigkeiten beim Häuserbauen, Geschichten, München (Hanser) 1963; Auftritt Manigs, Prosa, München (Hanser) 1963; Feinde, Erzählungen, München (Hanser) 1968; Gedichte, Literarisches Colloqium Berlin 1968.
Hrsg.: Die Gruppe 47. Bericht, Kritik, Polemik, Neuwied–Berlin (Luchterhand) 1967.

Wolfgang Maier: Sehen Hören, Prosa, Literarisches Colloquium Berlin 1969.

Ulf Miehe: Die Zeit in W und anderswo, Erzählungen, Wuppertal (Hammer) 1968.
Hrsg.: Thema Frieden. Zeitgenössische deutsche Gedichte, Wuppertal (Hammer) 1967; s. auch bei W. Hädecke.

Hans Noever: Venedig liegt bei Cleve. Ein Prosastück, Neuwied–Berlin (Luchterhand) 1966.

Hermann Peter Piwitt: Herdenreiche Landschaften. Zehn Prosastücke, Reinbek (Rowohlt) 1965.

Klaus Roehler: zusammen mit Gisela Elsner: Triboll. Lebenslauf eines erstaunlichen Mannes, Olten–Freiburg (Walter) 1956; Die Würde der Nacht, Erzählungen, München (Piper) 1958; Ein angeschwärzter Mann und andere Geschichten, Frankfurt (Suhrkamp) 1966.

Rolf Roggenbuck: Der Nämlichkeitsnachweis, Roman, Reinbek (Rowohlt) 1967.

Herbert Rosendorfer: Die Glasglocke, Erzählung, Zürich (Diogenes) 1966; Der Ruinenbaumeister, Roman, Zürich (Diogenes) 1969.

Gerd Rühm: Fenster. Texte, Reinbek (Rowohlt) 1968; Thusnelda Romanzen. Zyklus, Stierstadt (Eremiten-Presse) 1968.

Hrsg.: Die Wiener Gruppe. Texte, Gemeinschaftsarbeiten, Aktionen, Reinbek (Rowohlt) 1967.

Klaus Stiller: Die Absperrung, Erzählungen, Olten-Freiburg (Walter) 1966; H., Sprachparodie, Neuwied–Berlin (Luchterhand) 1970.

Günter Wallraff: Wir brauchen Dich. Als Arbeiter in deutschen Industriebetrieben, München (Rütten und Loenig) 1966 (rororo 1970); Wallraff was here. 13 unerwünschte Reportagen, Köln–Berlin (Kiepenheuer und Witsch) 1969.

3. Literaturhinweise

a. Kunstsoziologie, mit besonderer Berücksichtigung der Literatursoziologie

Adorno, Theodor W.: Kunst und Musiksoziologie, in: Frankfurter Beiträge zur Soziologie, Bd. 4/1956.

ders.: Noten zur Literatur I, Frankfurt 1958;

ders.: Noten zur Literatur II, Frankfurt 1961;

ders.: Noten zur Literatur III, Frankfurt 1965;

Albrecht, Milton C.,: The Relationship of Literature and Society, in: American Journal of Sociology, Bd. 59/1953/54.

Aldrige. John W.: In Search of Heresy. American Literature in an Age of Conformity, New York–Toronto–London 1956.

Alvarez, A.: Under Pressure. The Writer in Society, Baltimore 1965.

Antes, Klaus, und *Peters, Karsten:* Pinscher und Politiker, in: Wilfert, Otto (Hrsg.): Lästige Linke, Mainz 1968.

Auerbach, Erich: Mimesis, Bern ^{2}1959.

Beeger, Walter: Die entscheidenden sozialen Prozesse und sozialen Beziehungen in dem Roman „Der Richter" von Charles Morgan, in: Kölner Zeitschrift für Soziologie und Sozialpsychologie Bd. 6/1953/54.

Bergstraesser, Arnold: Staat und Dichtung, Freiburg 1967.

Buch und Leser in Deutschland. Eine Untersuchung des DIVO-Instituts, Gütersloh 1965.

Coser, Lewis A.: Sociology through Literature, Englewood Cliffs 1963.

Döblin, Alfred (Hrsg.): Minotaurus. Dichtung unter den Hufen von Staat und Industrie, Wiesbaden o. J.

Domin, Hilde: Wozu Lyrik heute. Dichtung und Leser in der gesteuerten Gesellschaft, München 1968.

Duncan, Hugh D.: Language and Literature in Society, Chicago 1953.

Edfeldt, J.: Die soziale Funktion der Dichtung, in: Deutsche Rundschau 79/1953.

Escarpit, Robert: Das Buch und der Leser. Entwurf einer Literatursoziologie, Köln–Opladen ^{2}1967.

Fügen, Hans Norbert: Die Hauptrichtungen der Literatursoziologie und ihre Methoden, Bonn ^{2}1966.

ders. (Hrsg.): Wege der Literatursoziologie, Neuwied–Berlin 1968.

Fortini, Franco: Die Vollmacht. Literatur von heute und ihr sozialer Aufstieg, Europäische Perspektiven 1968.

Fröhner, Rolf: Das Buch in der Gegenwart. Eine empirisch-sozialwissenschaftliche Untersuchung, Gütersloh 1961.

Gamberg, Herbert: The modern literary ethos: a sociological interpretation, in: Social Forces 37/1958/59.

Gehring, Axel: Genie und Verehrergemeinde, Bonn 1968.

Gotshalk, J.F.: Art and the Social Order, Chicago 1947.

Graña, Cèsar: Bohemian versus Bourgeois, New York–London 1964.

Hamburger, Michael: Vernunft und Rebellion. Aufsätze zur Gesellschaftskritik in der deutschen Literatur, München 1969.

Hauser, Arnold: Sozialgeschichte der Kunst und Literatur, München 1967.

Kluckhohn, Paul: Dichterberuf und bürgerliche Existenz, Tübingen 1949.

König, Rene, und *Silbermann, Alphons:* Der unversorgte selbständige Künstler, Köln–Berlin 1964.

Kofler, Leo: Zur Theorie der modernen Literatur. Der Avantgardismus in soziologischer Sicht, Neuwied–Berlin 1962.

Kreuzer, Helmut: Die Boheme. Beiträge zu ihrer Beschreibung, Stuttgart 1968.

Kunst ist Revolution oder der Künstler in der Konsumgesellschaft. Mit Beiträgen von J. Cassou, M. Ragon, A. Fermigier u. a., Köln 1969.

Lenk, Kurt: Zur Methodik der Kunstsoziologie, in: Kölner Zeitschrift für Soziologie und Sozialpsychologie Bd. 13/1961.

Linz, Gertraud: Literarische Prominenz in der Bundesrepublik, Olten–Freiburg 1965.

Loewenthal, Leo: Literatur und Gesellschaft. Das Buch in der Massenkultur, Neuwied–Berlin 1964.

ders.: Das Bild des Menschen in der Literatur, Neuwied–Berlin 1968.

Lukács, Georg: Die Theorie des Romans, Neuwied–Berlin [3]1965.

ders.: Schriften zur Literatursoziologie, Neuwied–Berlin 1968.

Meier-Graefe, Julius: Entwicklungsgeschichte der modernen Kunst, 2 Bde. München 1966.

Meuter, Hanna: Literatur als Quelle der Soziologie, in: Geist und Zeit I/1956.

Michels, Robert: Zur Soziologie der Boheme und ihrer Zusammenhänge mit dem geistigen Proletariat, in: Jahrbücher der Nationalökonomie und Statistik, Bd. 136/1932.

Mierendorf, Martha, und *Tost, Heinrich:* Einführung in die Kunstsoziologie, Köln–Opladen 1957.

Minder, Robert: Kultur und Literatur in Deutschland und Frankreich, Frankfurt 1962.

ders.: Dichter in der Gesellschaft. Erfahrungen mit deutscher und französischer Literatur, Frankfurt 1966.

Mukerjee, R.: The Social Function of Art, New York 1954.

Muir, Edwin: Essays on Literature and Society, London 1965.

Neumann, Thomas: Der Künstler in der bürgerlichen Gesellschaft. Entwurf einer Kunstsoziologie am Beispiel der Künstlerästhetik Friedrich Schillers, Stuttgart 1968.

Ott, Sieghardt: Kunst und Staat. Der Künstler zwischen Freiheit und Zensur, München 1969.

Parsons, Talcott: Expressive Symbols and the Social System, in: ders.: The Social System, Glencoe 1951.

Pelles, Geraldine: Art, Artists and Society, Englewood Cliffs 1963.

Pross, Harry: Literatur und Politik. Geschichte und Programme der politisch-literarischen Zeitschriften im deutschen Sprachgebiet seit 1870, Olten 1963.

Roh, Franz: Der verkannte Künstler, Studien zur Geschichte und Theorie des kulturellen Mißverstehens, München 1948.

Rosenberg, B., und *White, D. M.* (Eds.): Mass Culture. The Popular Arts in America, Glencoe 1962.

Rothe, Wolfgang: Schriftsteller und totalitäre Welt, Bern–München 1966.
Rühle, Jürgen: Literatur und Revolution. Die Schriftsteller und der Kommunismus, Köln 1961.
Schmidtchen, Gerhard: Lesekultur in Deutschland, in: Börsenblatt für den deutschen Buchhandel, 24. Jg. Nr. 70 (30. 8. 68).
Schücking, Levin L.: Die Soziologie der literarischen Geschmacksbildung, Bern–München ³1961.
Thomas, R. Hinton, und *van der Will, Wilfr.:* Der deutsche Roman und die Wohlstandsgesellschaft. Gaiser, Koeppen, Böll, Grass, Walser, Johnson, Stuttgart 1969.
Truemann, A.; Davies, R.; Berton, P.: The Arts as Communication, Toronto 1962.
Wallraf, Karl Heinz: Der literarische Massenerfolg, in: Kölner Zeitschrift für Soziologie und Sozialpsychologie Bd. 1/1948/49.
Watson, Bruce A.: Kunst, Künstler und soziale Kontrolle, Köln–Opladen 1961.
Wilson, Robert N. (Ed.): The Arts in Society, Englewood Cliffs 1964.
Zimmer, Dieter E. (Hrsg.): Die Grenzen literarischer Freiheit, Hamburg 1966.

2. Andere im Text aufgeführte Literatur

Apter, David E. (Ed.): Ideology and Discontent, Glencoe 1964.
Aron, Rymond: Opium für Intellektuelle, Köln–Berlin 1957.
Bilstein, Helmut: Studenten als Bildungsreformer. Bilanz der Aktion Bildungswerbung, Opladen 1970.
Bolte, Karl Martin: Sozialer Aufstieg und Abstieg, Stuttgart 1959.
Bolte, Karl Martin, und *Aschenbrenner, Katrin:* Die gesellschaftliche Situation der Gegenwart, Opladen 1963.
Bolte, Karl Martin; Kappe, Dieter; Neidhardt, Friedhelm: Soziale Schichtung, Opladen 1966.
Cohen, Albert K.: Kriminelle Jugend, Hamburg 1961.
Cohn-Bendit, Gabriel, und *Daniel:* Linksradikalismus – Gewaltkur gegen die Alterskrankheit des Kommunismus, Hamburg 1968.
Daheim, Hansjürgen: Die Vorstellungen vom Mittelstand, in: Kölner Zeitschrift für Soziologie und Sozialpsychologie, Bd. 12/1960.
Dahrendorf, Ralf: Soziale Klassen und Klassenkonflikt in der industriellen Gesellschaft, Stuttgart 1957.
ders.: Homo sociologicus, Köln ⁴1964.
Fijalkowski, Jürgen: Methodologische Grundorientierungen soziologischer Forschung, in: Enzyklopädie der geisteswissenschaftlichen Arbeitsmethoden, 8. Lieferung: Methoden der Sozialwissenschaften, München–Wien 1968.
Friedeburg, Ludwig v. (Hrsg.): Jugend in der modernen Gesellschaft, Köln–Berlin³ 1966.
Geiger, Theodor: Aufgaben und Stellung der Intelligenz in der Gesellschaft, Stuttgart 1949.
ders.: Arbeiten zur Soziologie, Neuwied–Berlin 1962.
Habermas, Jürgen; v. Friedeburg, Ludwig; Oehler, Christoph; Weltz, Friedrich: Student und Politik, Neuwied–Berlin 1961.
Hack, Lothar; Negt, Oskar; Reiche, Reimut: Protest und Politik, Frankfurt 1968.
Heintz, Peter und *König, Rene* (Hrsg.): Soziologie der Jugendkriminalität, Sonderheft 2 der Kölner Zeitschrift für Soziologie und Sozialpsychologie o. J.
Homans, George C.: Social Behavior. Its Elementary Forms, New York 1961.

Jahrbuch der Öffentlichen Meinung 1958–64, Allensbach–Bonn 1965.

Johnson, Harry M.: Sociology, New York 1960.

König, Rene (Hrsg.): Soziologie (Fischer Lexikon Neuausgabe), Frankfurt 1967.

Lersch, Philipp: Der Mensch als soziales Wesen, München 1964.

Merton, Robert K.: Social Theory an Social Structure, Glencoe 1957.

Mills, C. Wright (Hrsg.): Klassik der Soziologie, Frankfurt 1966.

Moore, Hariett, und *Kleining, Gerhard:* Das Bild der sozialen Wirklichkeit, in: Kölner Zeitschrift für Sozilogie und Sozialpsychologie, Bd. 11/1959.

Pfeil, Elisabeth u. a.: Die 23jährigen. Eine Generationsuntersuchung am Geburtenjahrgang 1941, Tübingen 1968.

Popitz, Heinrich; Bahrdt, Hans Paul; Jüres, Ernst August; Kesting, Hanno: Das Gesellschaftsbild des Arbeiters, Tübingen 1957.

Scheuch, Erwin K.: Soziologische Aspekte der Unruhe unter den Studenten, in: Aus Politik und Zeitgeschichte, Beilage zu „Das Parlament" vom 4. 9. 1968.

ders. (Hrsg.): Die Wiedertäufer der Wohlstandsgesellschaft, Köln 1968.

Siewert, Regina und *Bilstein, Helmut:* Gesamtdeutsche Kontakte. Erfahrungen mit Parteien- und Regierungsdialog, Opladen 1969.

Topitsch, Ernst (Hrsg.): Logik der Sozialwissenschaften, Köln–Berlin 1965.

Winkler, Hans-Joachim in Zusammenarbeit mit *Bilstein, Helmut* (Hrsg.): Das Establishment antwortet der APO, Opladen [2]1968.

Wolff, Robert Paul; Moore, Barrington; Marcuse, Herbert: Kritik der reinen Toleranz, Frankfurt [5]1968.

Yinger, J. Milton: Contraculture and Subculture, in: American Sociological Review Bd. 25/1960.

Analysen

Kritische Darstellung von Problemen aus Gesellschaft, Wirtschaft und Politik.
Sachverhalte, Meinungen und Gegenmeinungen, Alternative Lösungskonzeptionen.
Dazu: Dokumentationen, Materialien und Literatur.

Leske